BLACKWELL'S FRENCH TEXTS

General Editor: ALFRED EWERT

FABLIAUX

SELECTED AND EDITED BY

R. C. JOHNSTON

Professor of Romance Philology in the University
of London

AND

D. D. R. OWEN

Senior Lecturer in French in the University of St. Andrews

BASIL BLACKWELL · OXFORD

1965

First printed 1957
Reprinted 1965

Printed in Great Britain for Basil Blackwell & Mott, Ltd.
by Compton Printing Works (London) Ltd. N.1.
and bound at the Kemp Hall Bindery

TABLE OF CONTENTS

INTRODUCTION[1]

I. THE GENRE OF THE FABLIAU

'LES fabliaux sont des contes à rire en vers.'[2] Bédier, in this definition, intended to give no more than a general description of the genre. As such it is eminently satisfactory, but it will not serve as an answer to a number of questions which suggest themselves at an early stage to any modern reader: What did the term fabliau mean to the writers themselves? How, precisely, would one define *conte* in this context? What kind of laugh did they evoke? Was the provocation of mirth their only purpose? Are there any other major characteristics common to at least the majority of them? Are we justified in speaking of the fabliaux as a genre at all?

In reply to the last question we may say that the term genre is no more and no less applicable to this body of literature than to many others, lyric poetry or the romance, for example. It has its 'fringe area' of disputable texts around a majority where form, subject-matter, and outlook are reasonably alike. Most have been grouped by tradition since the time (from the thirteenth century) when they were brought together in various manuscripts.[3] Moreover, of some hundred and forty tales which we possess and which have been called fabliaux by most or all of the modern scholars who have collected or examined them, about sixty are so called by their authors. Against this, we find that compositions by four or five medieval poets are called by them fabliaux though they would not now be accepted as such by anyone.[4] The basic fact remains, however, that between the twelfth and fourteenth centuries a certain class of literary composition was practised and recognized by the name of fabliau.

[1] For the full titles of works referred to in an abbreviated form see the Bibliographical Notes.   [2] J. Bédier, *Les Fabliaux*, p. 30.
[3] The principal collections are found in MSS. B.N. (Paris) fr. 837 (62 fabliaux), Berne 354 (41), Berlin, Hamilton 257 (30), B.N. fr. 19152 (26), and B.N. fr. 1593 (24). For other MSS. see Bédier, ibid., p. 441.
[4] The compositions in question are true fables (animal stories). See O. Pilz, *Beiträge . . .*, pp. 16–17.

Bédier's phrase makes no mention of the time or place at which the genre flourished. Briefly, its flowering was in the thirteenth century, and of those fabliaux which can be placed geographically the greater part were written in the north-east of the French-speaking area. Other parts of France are represented, and England too; but few true examples have come down to us from the Provençal region.[1] Perhaps they were too suggestive of the bourgeois atmosphere for the more delicate southern literary taste.

To suggest that they appealed solely to bourgeois audiences (an opinion which modern scholars have sometimes seemed to entertain too readily) is, however, an overstatement. Bédier gives solid evidence that lords and even ladies lent an indulgent ear to the coarsest of fabliaux;[2] and to this we might add the testimony of the Norman rhymester Jean le Chapelain, offered in the opening lines of his *Dit dou soucretain*:

> Usages est en Normendie
> Que qui herbergiez est, qu'il die
> Fablel, ou chançon die à l'oste.[3]

Jean says that he will not depart from this custom and proceeds to recount a story in the true fabliau tradition. So these were not just tales for the tavern, market-place, or fair-ground, though they would be sure to find ready ears there too. They were told in return for a lodging under a good roof, whether of wealthy bourgeois or man of rank, and the latter could even have been a broad-minded ecclesiastic.[4] Consequently, it would be as unwise to allot to them one particular public as it would be to ascribe them solely to one class of author.

The vast majority of fabliaux are anonymous or else bear the name of an otherwise unknown poet such as the above-mentioned Jean le Chapelain, or Durand (*Des trois boçus*),

[1] I. Cluzel, 'Le Fabliau dans la littérature provençale du moyen âge', *Annales du Midi* 66, pp. 317–26, concludes that only two works, the *Castia Gilos* of Raimon Vidal de Besalun and *Las Novas del Papagai* by Arnaut de Carcassès, deserve to be classed as fabliaux.   [2] Op. cit., pp. 376 ff.

[3] MR VI, 150, ll. 1–3. In l. 3 the editors have emended to *fablel* the *fable* of the MS.

[4] Jean's story, of an amorous sacristan, has as its setting the Abbey of Cluny itself. Bédier supposes that Jean was a knight (op. cit., p. 486). For ecclesiastical audiences, see further Bédier, pp. 387–8.

Guerin (*Du provoire qui menga les mores*),[1] or Guillaume (*De la male Honte*). Of authors known also in other fields we may mention the names of Rutebeuf, whose *Testament de l'asne* we print, Jean Bodel,[2] Henri d'Andeli, the poet and jurist Philippe de Beaumanoir, and the three fourteenth-century court poets Watriquet Brassenel de Couvin, Jacques de Baisieux, and Jean de Condé. But the fabliaux by these known writers, with the exception of those attributed to Jean Bodel, belong rather to the periphery of the genre than to its central tradition. Anonymity is one of the typical attributes of the fabliau, and it assuredly cloaks a motley collection of jongleurs and wandering clerks as well as professional poets of higher station and the occasional laughter-loving amateur.[3]

To return to Bédier's definition, the word *conte* can be fairly applied to the fabliaux, since they do set out to tell a tale, an *aventure*, and those works which do not have this basis have no real place in the genre.[4] Digressions from the main story are exceptional, in obvious contrast to the contemporary romances; the narrative is generally presented with creditable economy. Despite this, the length may vary very considerably: the shortest we know has only eighteen lines,[5] but some have over thirteen hundred.[6] Relative brevity is, however, a characteristic feature of the genre and is hinted at by some of the poets themselves:

> . . . Car vous arai contet et dit
> . I . flabel qui n'est mie briés;
> A entendre est pesans et griés,
> Et mout longe en est la matere.[7]

---

[1] A Guerin or Garin is named as the author of six fabliaux, but it is impossible to say how many poets are involved.

[2] For the probable identification of Jean Bedel with Jean Bodel see Bédier, op. cit., pp. 483-6. This poet may have composed *Brunain*, our Fabliau VIII.

[3] For the authors of fabliaux see Bédier, op. cit., Ch. XIV, and E. Faral, *Les Jongleurs . . .*, pp. 207-10.

[4] Examples mentioned by Bédier, op. cit., p. 31, n. 2.

[5] *Du prestre et du mouton* by Haisel (MR VI, 144).

[6] *Richeut* (ed. Méon, *Fabliaux et contes*, Vol. I, pp. 38 ff.; I. C. Lecompte in *Romanic Review* IV, 1913, pp. 261-305), *Du vair palefroi* by Huon le Roy (MR I, 3), and *Du prestre et du chevalier* by Milon d'Amiens (MR II, 34).

[7] *Dou prestre conporté* (MR IV, 89 under the title *Du prestre qu'on porte, ou De la longue nuit*), ll. 1154-7. Cf. *De la crote* (MR III, 58), ll. 4-5:
> . . . li fablel cort et petit
> Anuient mains que li trop lonc.

The fabliau, then, is a *conte*, and a *conte en vers*. With only two exceptions, the metre used is the octosyllabic line with *rimes plates*;[1] and the exceptions are in other respects, too, not entirely typical of the genre. The first is *Richeut*, written in the third quarter of the twelfth century and regarded as the earliest extant fabliau, and the other, which we publish, is *Baillet*. The content of the latter is typical enough, but its form is that of a *chanson*, a term used by the author ('ceste chançon', l. 167) suggesting that the poem was to be sung.[2] As far as we know, this is a unique example of the sung as opposed to the recited fabliau, and Bédier's general definition is not invalidated by its existence. The remaining term of the definition, namely that the fabliaux were intended to provoke laughter, needs more detailed investigation.

It must at once be admitted that the laughter to be tapped was full and often bawdy, product of the *humour gaulois* without which the fabliaux would not have come into existence. For if these stories embrace a multitude of sins, the chief one depicted is lechery. To consider only the Seven Deadly Sins, without taking stock of their countless tributaries, we find them all represented in our selection: *Superbia, Avaricia, Luxuria, Invidia, Gula, Ira, Accidia*—not one is missing. There is the haughty pride of the lady in the *Chevalier qui recovra l'amor de sa dame*; the sad spectacle of the avaricious priests in *Brunain* and the *Testament de l'asne*; lechery personified in the *joli clerc* of the *Borgoise d'Orliens* or in the priest whose undoing is told in *Baillet*; the motive of the theft in *Brifaut* may be construed as envy of the rich fool's cloth so pompously displayed; it was the sin of gluttony that brought the priest among the brambles; wrath is shown in the character of the man saved from drowning, in that of the wretched wife in *Brifaut*, or of the king in the *Male Honte*; and the wages of a slothful life might have turned out worse for the poor minstrel in *Saint Pierre et le jongleur*. But it is useless to try to classify the fabliaux according to the sins which they portray, as so many seem to include them all.

[1] Unless we admit the self-styled fabliau *D'une dame de Flandres c'uns chevalier tolli a un autre par force* (Méon, *Fabliaux et contes*, Vol. III, pp. 444–6). This curious poem consists of 62 alexandrines, each rhyming in -*ort*. It is not recognized as a fabliau by Bédier.

[2] Cf. Bédier, op. cit., p. 32.

Classification on any grounds is at best arbitrary and cannot take account of every one of the texts. The categories which we shall propose therefore, though convenient, are by no means rigid, and a single text may have claims to be included in more than one. Most important from the numerical point of view alone are the bawdy or scatological ones, those which have given an unfortunate notoriety to the genre. Up to half of the total violate modern susceptibilities to a serious extent, and even the titles of some of them are seldom printed in full. Naturally enough, the amorous escapade figures prominently in this category, but there are other subjects which may best be left to the reader's imagination. Such works have no place in the present selection, and to this extent our choice of texts has been unrepresentative. Nevertheless they cannot be overlooked by the student of medieval French society of the thirteenth century, and their existence shows that this type of literature had then a wider appeal than it enjoys to-day. The fabliau-writer was, however, not incapable of treating similar subjects with some restraint. The *Vilain asnier*, for instance, uses unpromising material in a reasonably acceptable way; and there is little to offend in the treatment of the eternal triangle as we find it in the *Borgoise d'Orliens* or *Baillet*.

A somewhat macabre sense of humour is presupposed by a small group of fabliaux which are primarily concerned either with physical infirmities or with corpses. Of this group we print *Des trois boçus*, where both features are in evidence.[1] Here, as in many of the other fabliaux (the *Borgoise d'Orliens*, for example), one sees the rather cruel streak in the medieval character coming to the surface in scenes of violence in which even animals may be involved.[2]

Of those fabliaux which do not fall into the categories so far suggested a number have no very obvious characteristics in common except in sö far as they tell a humorous story without significant use of the topics mentioned above. The situations and adventures which they present show some originality

---

[1] See also *Des trois avugles de Compiengne* by Cortebarbe (MR I, 4), *D'Estormi* by Hugues Piaucele (MR I, 19: this shows a great resemblance of theme with the *Trois boçus*), and *Dou prestre conporté* (MR IV, 89) along with its variants (see Bédier, op. cit., p. 339).

[2] As in *Des .ii. chevaus* (MR I, 13).

and can still be appreciated to-day. Such are the *Povre mercier*, the *Vilein mire*, and *Saint Pierre et le jongleur*. These are stories with no apparent literary pretence and relying for their appeal on straightforward narration. On the other hand there are what we may call tales of courtly adventure that are commonly accepted as fabliaux. In the thirteenth century the epithet *courtois* was often misapplied, being sometimes used by a poet advertising his wares with no other meaning than 'well-told'. Thus the *Borgoise d'Orliens* is 'une aventure assez cortoise' (l. 3), and two highly obscene fabliaux, *Du Prestre ki abevete* and *De Porcelet* are called '.i. flabel courtois et petit' and 'un fabel cortois' respectively.[1] It is not, however, to this type of work that we allude here, but rather to a handful of texts which appear to have been written primarily for a public of some culture and elegance, and which consequently belong to the border territory between fabliau and courtly romance. Bédier admits eight of them into the genre[2] despite the fact that his *conte à rire* definition would need to be stretched to include them all.[3] We have selected the *Chevalier qui recovra l'amor de sa dame*, not merely as being typical of the group, but also because it is one of the three expressly called fabliaux by their authors.[4]

An amusing story has always been one possible vehicle for moral teaching, and certain of the fabliaux can be alternatively described as *contes moraux*. *D'un preudome qui rescolt son compere de noier* is an excellent example of this. Bédier, who includes it in his list of true fabliaux, is not always as tolerant, and proposes the test: 'En cas d'indécision, nous devons nous poser cette question: si le trouvère a voulu plutôt faire œuvre de conteur, ou de moraliste'.[5] This is all very well, but it demands a fine analysis of the author's intentions such as it is impossible to give. One might expect Bédier to reject out of hand a tale which opens

[1] MR III, 61, l. 3; and MR IV, 101, l. 1.
[2] Op. cit., p. 35. They are *Le Lai d'Aristote* (MR V, 137), *De l'Espervier* (MR V, 115), *Du Mantel mautaillié* (MR III, 55), *D'Auberée* (MR V, 110), *Du Chevalier qui recovra l'amor de sa dame*, *Du vair palefroi* (MR I, 3), *De Guillaume au faucon* (MR II, 35), and *Des .iii. chevaliers et del chainse* (MR III, 71).
[3] Notably *Des .iii. chevaliers...*, which comes closer to tragedy than to comedy. Of the others, *Auberée* is nearest to the true fabliau.
[4] The others are *Guillaume au faucon* (which, though much longer than the *Chevalier qui recovra...*, has a somewhat similar plot) and *Auberée*.
[5] Op. cit., p. 34.

with a twenty-eight-line prologue insisting on the didactic value of this kind of story; but no, he includes the *Vilain au buffet* in his list.[1] We shall return later to the moral element in the fabliau.

The *Vilain au buffet* is an example of how our categories may overlap, for it could also find a place in another small group of fabliaux, namely those whose plots hinge on a simple play on words. Such are *Estula* and the *Male Honte*, the latter in particular being no more than an elaborated and rather overstressed pun. To complete our classification we may point to some half-dozen poems having in common the fact that they each offer for the audience's consideration a question or problem consequent upon the narrative.[2] This group is not represented in our selection.

The literary style of the fabliaux, with its defects and real merits, has often been analysed;[3] and the most striking fact which emerges is how well form and content are matched to one another. The poets on the whole are modest fellows, conscious of their lack of literary graces:

> D'un fabelet vous voel conter
> D'une fable que jou oï,
> Dont au dire mout m'esjoï.
> Or le vous ai torné en rime
> Tout sans batel et tot sans lime.[4]

But they had the virtue of wasting no time in the telling of the tale, and their very artlessness means the absence of one barrier between us and the vigorous, colourful age which they reflect. Stylistic elegance would have been quite out of place in the majority of these tales; and, as Bédier points out, even Rutebeuf, normally very conscious of the technical demands of his art,

---

[1] MR III, 80. The author calls his work a fabliau (l. 29).

[2] *Des .ii. chevaus* (MR I, 13), *Des .iii. dames qui trouverent l'anel* (two versions: MR I, 15 and VI, 138), *Des .iii. chevaliers et del chainse, Du bouchier d'Abevile* (MR III, 84), and *Le Jugement . . .* (MR V, 122). Of these, the first two and the last are called fabliaux by their authors.

[3] See, for example, Bédier's excellent appraisal in Ch. XI of his work; also W. M. Hart's studies, 'The Fabliau and Popular Literature' (*Publications of the Modern Language Association of America* XXIII, 1908, pp. 329–74), and *The Narrative Art of the Old French Fabliaux*, Boston, 1913.

[4] *De la viellete* (MR V, 129), ll. 6–10.

has adopted a more straightforward style in his fabliaux.[1] On the other hand there were those poets who, jealous no doubt of their professional reputation, took it upon themselves to elaborate to some degree an originally simple story. Thus a number of the fabliaux have come down in two or more distinct versions, and elaboration has seldom meant improvement. In the case of the *Provoire qui menga les mores*, we print the longer of two versions. But the other,[2] shorter by a third, contains all the essentials of the story; what are lacking are the gratuitous details—the description of the priest's mare, of the situation of the blackberries, and so on—of which some add colour and body, but others are pure padding. The three versions of the *Borgoise d'Orliens* stand in similar relationship to one another,[3] and of them we have preferred the shortest as being more compact and almost certainly representing an earlier stage in the development of the tale.

The literary values of the fabliaux, then, are by no means negligible; but there is a greater interest which they hold for us, and this has already been hinted at. It lies in the panorama of medieval life which they present; and if the grotesque elements are over-emphasized (and this in itself informs us on the character of the people) they stand out against a background which is authentic. Even in our selection, comprising less than ten per cent of the surviving output, all the classes are represented, from peasant to king, or from a scamp of a jongleur to a dignified bishop, with devils and a saint thrown in for good measure. The people are not mere literary conventions. They are human beings seen with a human eye: the orphan brothers driven by starvation to petty theft; the priest going to market mumbling his prayers, but with a ready eye for choice blackberries in the hedgerow; the merry, roving students with their thoughts on more than books; the sleepy knight, the sharp-eyed little cobbler's daughter, or Brifaut's waspish wife. And the scenes are set with realistic detail: here an interior with a box bed beside the fire, there a storeyed house by a canal; a market scene, or a

---

[1] Op. cit., p. 343.   [2] MR V, 113.
[3] The version which we print (248 ll.); that in MR (IV, 100) which bears the title *De la dame qui fist batre son mari* (298 ll.); and that found in the Berlin, Hamilton, MS. 257 (fol. 32c–34a), containing 325 ll.

street fragrant with the smell of spices from the grocers' shops; a countryman ploughing his fields, or a fisherman at his nets on the sea. It is from the fabliaux that much of our knowledge of life in thirteenth-century France has been gleaned.[1] Yet although it is the people, places, customs, and outlook of the thirteenth century which they depict, much scholarship has been devoted to the search for more distant sources.

Faced with the existence of stories or folk-tales having undeniable similarities with some of the French fabliaux and appearing in many countries, critics from the time of the Grimm brothers have sought to establish all-embracing theories to explain the origin of the genre. The orientalist theory in particular, launched by Th. Benfey in the Introduction to his *Pantchatantra*, gained many adherents. Based on striking resemblances between certain fabliaux[2] and tales of Oriental, Indian, and Persian origin, its exaggerations have been exposed by Bédier in his important work, where he concludes that no inclusive theory of origins is possible; the tales are part of the universal legacy of mankind.[3] Looking in another direction, E. Faral holds that: 'Le fabliau du XIIIe siècle, en tant que genre littéraire, est issu du conte latin du XIIe siècle, et par conséquent, en dernière analyse, remonte, par cet intermédiaire, à l'antique comédie latine'.[4] These are the main positions taken by scholars in looking for the origins of the genre,[5] each open to criticism, but each containing, doubtless, some seeds of truth.

There is one characteristic of the genre which we think some critics may have dismissed too summarily in the past, and

[1] Specific aspects have been investigated in: P. Pfeffer, *Beiträge zur Kenntnis des altfranzösischen Volkslebens, meist auf Grund der Fabliaux*, I–III, Karlsruhe, 1898, 1900, 1901; F. Herrmann, *Schilderung und Beurteilung der gesellschaftlichen Verhältnisse Frankreichs in der Fabliauxdichtung des XII. und XIII. Jahrhunderts*, Coburg, 1900; A. Preime, *Die Frau in den altfranzösischen Fabliaux*, Cassel, 1901; W. Blankenburg, *Der Vilain in der Schilderung der altfranzösischen Fabliaux*, Greifswald, 1902; O. Patzer, 'The Wealth of the Clergy in the Fabliaux', *Modern Language Notes* 19 (1904), pp. 195–6; B. Barth, *Liebe und Ehe im altfranzösischen Fabel und in der mittelhochdeutschen Novelle*, Berlin (*Palaestra* 97), 1910.

[2] The *Trois boçus* is a case in point: see our notes to this fabliau.

[3] Op. cit., pp. 273–87.

[4] 'Le Fabliau latin au moyen âge' (*Romania* L, 1924, pp. 321–85), p. 384.

[5] The chief theories may be found conveniently summarized in U. T. Holmes, *A History of Old French Literature from the Origins to 1300*, New York, 1948.

which may have some bearing on the literary origins of the fabliaux. This is what we may call the moral or mock-moral element. If one considers those fabliaux accepted as such by Bédier and included in their collection by Montaiglon and Raynaud (141 in all), one finds that no fewer than 95 contain some kind of explicit moral and only 46 do not. Of the 95 with morals 44 are called fabliaux by their authors, while 15 are so called among those which carry no moral. If, of the 141 just considered, we disregard six fourteenth-century works as being late and unrepresentative, together with six poems which set a problem and so cannot themselves draw moral conclusions, and two which have a moral in one but not all of their versions, we are left with 127; of these 91 (including 44 called fabliaux by their authors) contain a moral and 36 (including 12 called fabliaux by their authors) do not. It thus appears that it was a widely accepted practice at the period when the majority of the fabliaux were produced to round them off with some kind of moral. This is true of some seventy-five per cent of works called fabliaux by their authors and still included in the genre by Montaiglon and Raynaud, and Bédier.

The most usual way of expressing this moral element is to give it the form of a brief epilogue introduced by some such phrase as 'Par example dist cis fabliaus . . .' (*Brunain*), 'Por cest flabel poëz savoir . . .' (*Provoire qui menga* . . .), 'Por ce vos di . . .' (*Preudome qui rescolt* . . .), or 'Ce dist Guillaumes en son conte . . .' (*Male Honte*).[1] Sometimes it is expressed epigrammatically in the form of a proverb, as in *Estula*; and occasionally the lesson is but half expressed, a fuller interpretation being left for the audience to supply, as in *Le chevalier qui recovra*. . . . The final lines of *Saint Pierre et le jongleur* draw what we would call a mock-moral conclusion, namely that jongleurs and their associates need never fear the pains of Hell.

A large proportion of those tales which are furnished with a moral can in no way be termed *contes moraux*, rather the reverse. So the didactic element often takes us by surprise, even though it is regularly subordinated to the humorous. Moreover, its appearance can seldom be purely coincidental. In the more

[1] There is a political flavour to Guillaume's moral. Rutebeuf customarily placed his moral at the beginning of the fabliau, as in *Li Testament de l'asne*.

bawdy of the stories the writers' conscious effort to fit it in is clear; in *Brifaut* the author seems to have appended his moralizing tailpiece at the expense of coherence, the victim of divine retribution being to all appearances entirely guiltless. Some poets advertise their intention to instruct:

> Vos qui fableaus volez oïr,
> Peine metez a retenir;
> Volentiers les devez aprendre,
> Les plusors por essample prendre,
> Et les plusours por les risees
> Qui de meintes gens sont amees.[1]

And even the author of a highly obscene one can introduce his moral with the words: 'Par cest fablel vueil enseignier . . .'.[2] No doubt there was a persistent tendency in medieval literature to extract a lesson from any tale, the moral plane being the third on which a work could be judged, after literal and allegorical meanings had been deduced. Ovid was notoriously 'moralized' in this way; Marie de France's *Equitan*, the sad tale of the *Chastelaine de Vergi* and many another profane narrative were capped with a concise moral judgment. But for all this there is something paradoxical in the way in which the writers of the fabliaux determinedly cudgelled a moral from tales which so often appear deliberately immoral in conception.

We may come nearer to explaining the paradox if we look at a genre which, nominally at any rate, is definitely connected with the fabliaux, namely the fables. The etymological link lies in the derivation of the word fabliau from *fabulellum*, diminutive of *fabula* 'a little fable', although clearly this etymological meaning has no significance for the genre as we know it. The Aesopic fable as it came via Latin into medieval French literature was, of course, essentially an apologue using animals as the characters in the story from which the moral was drawn. If the animals should be replaced by human beings, a similarity with some of the fabliaux would become apparent. And, indeed, by the time the animal stories arrived in the French vernacular they had been joined by a few fables dealing exclusively with human characters.

[1] MR VI, 140, ll. 1–6.　　　　[2] MR V, 121, l. 201.

Moreover, certain of these tales found in collections of fables are also to be found rewritten as fabliaux and may be so called.[1] Here, then, is a more real point of contact between the two genres. But apart from this interchange of material, the terms themselves were sometimes applied by poets to works of the opposite genre. Thus, some true fables were called fabliaux, as for instance the one which begins:

> De l'asne et du chien sans targier
> Vous vueil un fablel comencier. . . .[2]

Similarly, at least seven true fabliaux so called by their authors are also called fables, as are a further thirty fabliau-type works. So there is evidence that to some extent writers considered the terms interchangeable. The question is complicated, however, by the fact that the word *fable* was also used to mean simply an 'untrue story'.[3] Some of the writers of fabliaux turned this to account as here:

> Seignor, aprés le fabloier,
> Me vueil a voir dire apoier,
> Qar qui ne sait dire que fables,
> N'est mie conterres regnables. . . .[4]

But this apparent distinction between the true *fabliau* and the fictitious *fable* was by no means always maintained; and some

---

[1] Compare fabliaux MR III, 70 and IV, 104 with Marie de France's fables *De la femme ki fist pendre son mari* and *Del vilein e de sa femme cuntrariuse* (selection ed. A. Ewert and R. C. Johnston, Oxford, 1942, pp. 20–1 and 57). The former fable is also to be found in the *Isopet* I (*Recueil général des Isopets*, ed. Julia Bastin, No. 65, Vol. II, Paris, 1930, pp. 333–6).

[2] Méon, *Fabliaux et contes*, Vol. III, p. 55, quoted by O. Pilz who, in his *Beiträge* . . ., mentions four or five other fables similarly called fabliaux; we quote from two such works below. It is interesting to note that the earliest examples of the word *fabliau* found by Bédier occur in Marie's *Fables* (Bédier, op. cit., p. 40).

[3] This was one of the meanings of the Latin word, as is seen in the eighth- and ninth-century *Pænitentiale Egberti* and *Capitula ad presbyteros* (the latter by Hincmar) where the faithful are forbidden to take pleasure in idle tales (*fabulas inanes referre, fabulis otiosis studere*). Such tales may have been ancestors of the fabliaux.

[4] MR V, 135, ll. 1–4. Cf. e.g. III, 69, ll. 1–2, and III, 70, l. 3; for further suggestions of the truth of the fabliau, see MR IV, 109, ll. 1–2, and *Male Honte*, l. 4.

writers assert rather that the one is an ingredient of the other:

> En fabliaus doit fables avoir,
> Si a il, ce sachiez de voir,
> Por ce est fabliaus apelez,
> Qui de fables est aünez.[1]

> Des fables fait on les fabliaus,
> Et des notes les sons noviaus,
> Et des materes les canchons,
> Et des dras, cauces et cauchons.
> Por çou vous voel dire et conter;
> D'un fabelet vous voel conter
> D'une fable que jou oï. . . .[2]

If our discussion has not clarified the exact relationship between fable and fabliau, it does show that some definite (albeit fluctuating) relationship exists; and in the light of this, the moral element of the fabliaux assumes a greater significance than has hitherto been allowed. Furthermore, of those fabliaux which contain a moral about seventy-five per cent express it in the usual manner of the fables, that is as a compact lesson appended to the tale by the author. Marie de France introduces the morals to certain of her fables by explicit indications such as the following:

> Ceste essample nus veut mustrer . . .
> Pur ceo se deivent chastïer . . .
> Saver poüm par ceste fable . . .
> Pur ceo volt ici enseigner . . .
> Par cest essample veut mustrer . . .;[3]

and similar indications appear in some of the *Isopets*, as,

> Par cest flaviau poués entendre . . .
> Par ce flabel pourras savoir . . .
> Cilz examples bien nos ensoigne. . . .[4]

---

[1] *Roman de Trubert* (ed. Méon, *Nouveau recueil* . . ., Vol. I, pp. 192–285), ll. 1–4, quoted by Pilz, op. cit., p. 23.
[2] MR V, 129, ll. 1–7; see also Bédier, op. cit., p. 36.
[3] Ewert and Johnston, op. cit., pp. 7; 7; 14; 36; 57 and 61 respectively.
[4] Bastin, op. cit., Vol. II, pp. 223 (*Isopet* I, xiii, l. 25), 218 (*Isopet* I, xi, l. 13), and 95 (*Isopet de Lyon*, vi, l. 39) respectively.

B

To these, certain of the fabliaux show close parallels:

> Cest example nous monstre bien . . .
> Par cest conte veil chastïer . . .
> Savoir poez [par] ceste fable . . .
> Par cest flabel pöez savoir . . .
> Par cest fablel vueil enseignier . . .
> Par cest example voil moustrer. . . .[1]

Consequently, one is strongly tempted to see a real relationship between the fabliau and the fable, with the latter passing some of its characteristics to the fabliau, which appeals more to the public taste for realism, the broad laugh, the worldly moral. In particular, the fable's moral element would often have been passed on, sometimes with a show of sincerity, sometimes with humorous intentions.

There could have been another motive for keeping the moral, a motive well in keeping with the character of the jongleurs, who were so intimately connected with the fabliaux. At the time when the genre flourished, so did the use by the Church of the moralizing story, the *exemplum*.[2] No love was lost between the jongleurs and the Church; and the writers of the light-hearted fabliaux were not above light-heartedly taking up the Church's challenge by donning part of the clerical armour (slightly askew) and using the Church's own weapons in burlesque combat with human transgression. It was probably in this spirit that *Saint Pierre et le jongleur* was written, for this amusing but irreverent tale can be interpreted as a burlesque of one of the chief Christian mysteries.[3] In setting their free and good-natured humour against the humourless acrimony of the clerics, the writers of the fabliaux evoked a sympathetic response from the popular imagination, and their tales are even now not forgotten.

The medieval French fabliaux died as a genre with Jean de Condé towards the middle of the fourteenth century, but the

[1] MR I, 18, l. 93; III, 78, l. 149; II, 31, l. 438; II, 51, l. 169, *Du Provoire qui menga*, l. 91, etc.; V, 121, l. 201; I, 21, l. 173 respectively.

[2] See J. T. Welter, *L'Exemplum dans la littérature religieuse et didactique du moyen âge*, Paris, 1927.

[3] See D. D. R. Owen, 'The Element of Parody in *Saint Pierre et le jongleur*', *French Studies* IX, 1955, pp. 60-3.

common fund of tales on which they drew and into which they instilled new life has not ceased to circulate. To list all later writers who profited from it would be impossible.[1] In France itself the material has been worked over by writers of prose and verse *contes* from the anonymous author of the *Cent nouvelles nouvelles* to Maupassant by way of Marguerite de Navarre and La Fontaine. Some of the old plots were dramatized in medieval farces, and Molière was not breaking new ground when he did the same in *Le Médecin malgré lui*. Not that a study of the sources of later works must lead us directly back to the fabliaux. Many re-entered France and penetrated the rest of Europe in the more sophisticated versions by Italian writers such as Boccaccio, Poggio, Sacchetti, and Straparola. But over hundreds of years and through works as disparate as the *Canterbury Tales* and a nineteenth-century Russian collection of 'secret stories' they have spread laughter far and wide. For the situations which they present, grotesque and unsavoury though they often are, know no temporal or racial boundaries; they show human society ridiculing itself, and that is by no means an unhealthy occupation.

2. THE PRESENT EDITION

In preparing this selection of fabliaux we have had in mind principally students at a fairly early stage of their acquaintance with Old French language and literature. It is to meet their needs that we have compiled a rather full glossary and given in the notes literal rather than elegant translations of difficult passages. We have not regarded it as relevant to our purpose to provide materials for textual criticism or for the establishing of literary relationships between different versions of the tales.

The MSS., the sigla we have used to refer to them, and the selected fabliaux they contain are:

Paris   B.N. fr. 837 (A)
              Fabliaux III, V, VI, VIII, XIII, and XIV (see also under MS. I).
Paris   B.N. fr. 19152 (B)
              Fabliaux I, II, III, IX, XII, and XIV.

---

[1] For information on later adaptations see especially V. Leclerc's article in *HLF*, Vol. XXIII, pp. 69-215, the notes to Montaiglon and Raynaud's edition, and Bédier's 'Notes bibliographiques', op. cit., pp. 442-76.

Berne 354 (C)
       Fabliaux III, IV, XIII, and XV; also a longer
       version of VI and a shorter version of IX (see also
       under MS. I).

Berlin Hamilton 257 (D)
       Fabliau XIII and a longer version of VI.

Paris B.N. fr. 1593 (E)
       Fabliau XI.

Paris B.N. fr. 1635 (F)
       Fabliau X.

Paris B.N. fr. 2173 (G)
       Fabliau XII.

Paris B.N. fr. 12483 (H)
       Fabliau VII.

Paris B.N. fr. 12603 (I)
       Fabliau XII in a second version which is also in
       A and C.

For MSS. A and B we have used the facsimile editions
by H. Omont and E. Faral respectively; for D a microfilm of
the relevant folios;[1] and for the remaining MSS. rotographs made
for us by the photographic services of the Bibliothèque Nationale in Paris and of the Stadt- und Universitätsbibliothek in Berne.

In the case of fabliaux preserved in more than one MS. it
soon becomes apparent on reading the different versions that the
stories were handled with considerable freedom and that
redactors prided themselves not so much on fidelity to an
original as on making the most of a good tale; they felt themselves free to abridge, to expand, to alter details of fact,[2] and to
improve stylistically on the story they retold. It is improbable
that all the versions of these stories once current have survived.
In these circumstances it is highly unlikely that comparison of
extant versions will lead back to a single author's original
version, and conflation of the texts to produce a new amalgam

---

[1] This was obtained for us from East Berlin by the kindness of our
colleague Miss R. C. Harvey.
[2] Thus, the three MSS. provide three reckonings of the *vilein*'s possessions before he became a *mire*. A: *Une charrue adés avoit/Toz tenz par lui la
maintenoit/D'une jument et d'un roncin.* C: *Deus charrues ot et uit bués/Qui totes
erent a son bués/Et deus jumenz et deus roncins.* D: *Trois charues ot de bués/Qui
totes erent a son oés/Et deus jumenz et deus roncins.*

unknown to the Middle Ages is not to be recommended. A complete variorum edition would contain almost as much material in the critical apparatus as in the accepted text, and the soundest policy would probably be the presentation of parallel texts. But such an edition would go far beyond the purposes for which we have undertaken this collection of fabliaux. We have therefore chosen that version which seemed to us the best in virtue of an effective and coherent telling of the story. From the variant versions we have given only those readings which help to explain our departures from our base MS. (departures made only where we felt that the MS. reading was the result of scribal negligence or error) or doubts about the readings we have in the end adopted.

Each of our texts, then, is edited on the basis of a single MS. reproduced, apart from scribal negligence or error, exactly, subject to the following exceptions. We have respected the scribe's orthography, except in a few cases such as those where the reproduction of a phonetic spelling like *i* for *il* in preconsonantal position would unnecessarily hold up the student. Any such departure is indicated typographically in the text, by the use of square brackets for letters (as also for words) which we have inserted, or it is recorded in the Notes. We have distinguished between *u* and *v*, *i* and *j*, divided words, punctuated, and used capital letters and *ç*, in accordance with modern practice. We have used the acute accent to distinguish the full vowel *e* from feminine *e*, and on the diphthongs *ié*, *oé*, and *ué* when final or followed by *-s*, and the diæresis to distinguish vowels in hiatus from diphthongs. The indentations, which mark successive stages in the development of the story, are editorial and do not necessarily correspond with the use of large or illuminated capitals in the MSS.

There are no peculiar difficulties in expanding the abbreviations used in any of these MSS. or in writing out in words numerals and the masculine indefinite article which are frequently rendered in the MSS. by small roman figures. Where scribes use both *en* and *an*, *com* and *con*, and similar regular variants, we have observed no consistent rules in resolving the relevant abbreviations. We have expanded final *-x* (except where preceded by *-u-*, and in the cases mentioned in the Notes) to *-us*.

3. BIBLIOGRAPHICAL NOTES[1]

Facsimile Editions of MSS.

E. FARAL, *Le Manuscrit 19152 du fonds français de la Bibliothèque Nationale*, Paris, 1934. (Faral, *Le Manuscrit 19152*.)

H. OMONT, *Fabliaux, dits, et contes en vers français du XIIIe siècle, facsimile du manuscrit français 837 de la Bibliothèque Nationale*, Paris, 1932.

Collected Editions of Fabliaux

A. JUBINAL, *Nouveau Recueil de contes, dits, fabliaux et autres pièces inédites des XIIIe XIVe, et XVe siècles, pour faire suite aux collections de Legrand d'Aussy, Barbazan et Méon*, 2 vols., Paris, 1839–42.

D. M. MÉON, *Nouveau Recueil de fabliaux et contes inédits des poètes français des XIIe, XIIIe, XIVe, et XVe siècles*, 2 vols., Paris, 1823. (Méon, *Nouveau Recueil*.)

D. M. MÉON, *Fabliaux et contes des poètes français des XIe, XIIe, XIIIe, XIVe, et XVe siècles*; nouvelle édition augmentée et revue, 4 vols., Paris, 1808. (Barbazan et Méon, *Fabliaux*.)

A. DE MONTAIGLON and (from Vol. II) G. RAYNAUD, *Recueil général et complet des fabliaux des XIIIe et XIVe siècles*, 6 vols., Paris, 1872–90. (MR)

ANON. *Recueil de Fabliaux* (La Renaissance du Livre), Paris, Gillequin [1910]. (*Recueil*. Gillequin.)

Editions of Individual Fabliaux

Le Boucher d'Abbeville, ed. John Orr, London, 1947.

Constant du Hamel, ed. Ch. Rostaing, Gap, 1953.

La Male Honte, ed. A. Långfors, in *Huon le Roi: Le Vair Palefroi*, Paris (Class. fr. du m.-â.), 1921.

Le Vilain Mire, ed. C. Zipperling, Halle, 1912.

Studies and Critical Works

For these consult in the first instance R. Bossuat, *Manuel bibliographique de la littérature française du moyen âge*, Melun, 1951, pp. 226–36, and its *Supplément*, Paris, 1955, pp. 62–3; U. T.

---

[1] We give in round brackets the abbreviated references we have used in our Introduction and Notes.

Holmes, Jr., *A Critical Bibliography of French Literature*, Vol. I, *The Mediaeval Period*, Syracuse University Press, 1952; and the Old French Literature section of the annual volumes of the *Year's Work in Modern Language Studies*, Cambridge, 1931 ff. Here we list those works frequently referred to by an abbreviated title:

J. BÉDIER, *Les Fabliaux*, 5th edn., Paris, 1925. (Bédier.)

E. FARAL, *Les Jongleurs en France au moyen âge*, Paris, 1910. (Faral, *Les Jongleurs.*)

E. FARAL, *La Vie quotidienne au temps de Saint Louis*, Paris, 1938. (Faral, *Vie quotidienne.*)

V. LECLERC, 'Fabliaux', *Histoire littéraire de la France*, Vol. XXIII, 1856, pp. 69–215. (HLF.)

J. MORAWSKI, *Proverbes français antérieurs au XVe siècle*, Paris (Class. fr. du m.-â.), 1925. (Morawski.)

O. PILZ, *Beiträge zur Kenntnis der altfranzösischen Fabliaux*: I, *Die Bedeutung des Wortes Fablel*, Diss. Marburg, Stettin, 1889. (Pilz, *Beiträge.*)

Dictionaries

F. GODEFROY, *Dictionnaire de l'ancienne langue française*, Paris, 1880–1902. (Godefroy.)

A. TOBLER and E. LOMMATZSCH, *Altfranzösisches Wörterbuch*, in progress, Berlin, 1925 ff., now Wiesbaden. (Tobler-Lommatzsch.)

W. VON WARTBURG, *Französisches Etymologisches Wörterbuch*, in progress, Bonn, 1928 ff., now Basel.

Addendum

While this book was passing through the press, Dr. Per Nykrog's thesis, *Les Fabliaux*, Copenhagen, 1957, appeared. This will be indispensable for the study of the literary value of fabliaux. Its Appendix, 'Essai sur les origines du fabliau', treats of the problem in terms similar to those we have used on pp. xv–xviii above.

NOTE TO 1965 REPRINT

THIS reprint by photolithography affords us the opportunity of thanking the authors of three notices of our selection of fabliaux for their helpful comments and suggestions. If the book were to be completely reset we should certainly rewrite several of our notes and correct our glossary in accordance with their observations. As it is, we must refer readers to their reviews. They are: John Orr, *Modern Language Review*, LIII (1958), pp. 257–8; T. B. W. Reid, *Medium Ævum*, XXVII (1958), pp. 122–6; J. Rychner, *Romance Philology*, XII (1959), pp. 340–2.

We have been able to incorporate a few emendations to our texts: I 8; III 37; IV 62; VI 226; IX 32; XI 7; XII 144; XV 16 and 97, and to append the following brief list of additions and corrections.

R. C. J.
July, 1965.
D. D. R. O.

Introduction

p. vii.   Footnote 2: On Bodel and his fabliaux consult Ch. Foulon, *L'Œuvre de Jehan Bodel*, Paris, 1958, pp. 21–142.

p. xi.   Footnote 2: Add the fabliau *Des trois meschines* (MR III, 64). The fabliau *Des .iii. chevaliers* . . . is printed in MR III, 71.

p. xxii.   Two recent selections of fabliaux are: T. B. W. Reid, *Twelve Fabliaux*, Manchester, 1958, and Martha Walters-Gehrig, *Trois fabliaux: Saint Pierre et le jongleur, De Haimet et de Barat et Travers, Estula*, Tübingen (Beihefte zur Zts. für r.Ph., 102), 1961.

p. xxiii. An important addition to critical literature on the subject is: Jean Rychner, *Contribution à l'étude des fabliaux*, 2 vols., Neuchâtel/Genève, 1960.

Notes

    I p. 85 Editions: add Reid, *Twelve Fabliaux*, pp. 3–4.

   II p. 86 Editions: add Reid, op. cit., pp. 1–2.

  III p. 87 Editions: add M. Walters-Gehrig.

  IX p. 95 Editions: add Reid, op. cit., 8–10.

   X p. 95 Editions: add E. Faral et J. Bastin, *Œuvres complètes de Rutebeuf*, vol. II, Paris, 1960, pp. 298–304.

        p. 96 Note to l. 108: add Cf. Morawski, No. 2433.
Note to l. 123: add See Morawski, Nos. 793 and 1773.
Note to ll. 131–2. G. Tilander, *Lexique du Roman de Renart*, pp. 23–4, explains 'boire son sens' by 'perdre son sens en buvant' and the meaning could therefore be 'act foolishly, be foolish'.

XIII p. 103 Note to l. 187. Our second suggestion is the better. It is supported by Chr. de Troyes, *Perceval*, l. 2247, where a defeated knight admits to his conqueror 'Que ja an est li miaudre tuens'.

XIV p. 105 Edition: add M. Walters-Gehrig.
Note to l. 16. Our suggestion is supported by Chr. de Troyes, *Perceval*, ll. 1326–8.

        p. 106 Note to ll. 129–361. The game of *hasard* is not unlike the modern game of craps, though this is played with two dice.

FABLIAUX

I. D'UN PREUDOME QUI RESCOLT SON COMPERE DE NOIER

Il avint a un peschëor
Qui en la mer aloit un jor,
En un batel tendi sa roi,
4   Garda, si vit tres devant soi
Un home molt pres de noier.
Cil fu molt preuz et molt legier;
Sor ses piez salt, un croq a pris,
8   Lieve, si fiert celui el vis
Que par mi l'ueil li a fichié;
El batel l'a a soi saichié.
Arriers s'en vait sanz plus atendre,
12   Totes ses roiz laissa a tendre;
A son ostel l'en fist porter,
Molt bien servir et honorer
Tant que il fu toz respassez.
16   A lonc tens s'est cil porpenssez
Que il avoit son oill perdu
Et mal li estoit avenu:
'Cist vilains m'a mon ueil crevé,
20   Et ge ne l'ai de riens grevé.
Ge m'en irai clamer de lui
Por faire lui mal et enui.'
Torne, si se claime au major,
24   Et cil lor mest terme a un jor.
Endui atendirent le jor,
Tant que il vinrent a la cort.
Cil qui son hueil avoit perdu
28   Conta avant, que raison fu:
'Seignor,' fait il, 'ge sui plaintis
De cest preudome, qui tierz dis
Me feri d'un croq par ostrage;

1

32 L'ueil me creva, s'en a[i] domaige.
    Droit m'en faites, plus ne demant;
    Ne sai ge que contasse avant.'

    Cil lor respont sanz plus atendre:
36 'Seignor, ce ne puis ge deffendre
    Que ne li aie crevé l'ueil,
    Mais en aprés mostrer vos vueil
    Comment ce fu, se ge ai tort.
40 Cist hom fu en peril de mort
    En la mer, ou devoit noier;
    Ge li aidai; nel quier noier,
    D'un croq le feri qui ert mien,
44 Mais tot ce fis ge por son bien:
    Iluéqués li sauvai la vie.
    Avant ne sai que ge vos die;
    Droit me faites, por amor Dé.'
48 Cil s'esturent tuit esgaré
    Ensanble por jugier le droit,
    Quant un sot qu'an la cort avoit
    Lor a dit: 'Qu'alez vos doutant?
52 Cil preudons qui conta avant
    Soit arrieres en la mer mis,
    La ou cil le feri el vis,
    Que, se il s'en puet eschaper,
56 Cil li doit son oeil amender.
    C'est droiz jugemenz, ce me sanble.'
    Lors s'escrïent trestuit ensanble:
    'Molt as bien dit! Ja n'iert deffait!'
60 Cil jugemenz lors fu retrait.
    Quant cil oï que il seroit
    En la mer mis ou il estoit,
    Ou ot soffert le froit et l'onde,
64 Il n'i entrast por tot le monde;
    Le preudome a quite clamé,
    Et si fu de plusors blasmé.
       Por ce vos di tot en apert
68 Que son tens pert qui felon sert.
    Raembez de forches larron,

Quant il a fait sa mesprison,
Jamés jor ne vos amera.

72 .   .   .   .   .   .

Ja mauvais hom ne saura gré
A mauvais, si li fait bonté:
Tot oublie, riens ne l'en est,
76 Envois seroit volentiers prest
De faire li mal et anui,
S'il venoit au desus de lui.

II. DU VILAIN ASNIER

Il avint ja a Monpellier
C'un vilein estoit costumier
De fiens chargier et amasser
4   A deus asnes terre fumer.
Un jor ot ses asnes chargiez;
Maintenant, ne s'est atargiez,
El borc entra, ses asnes maine,
8   Devant lui chaçoit a grant paine,
Souvent li estuet dire: 'Hez!'
Tant a fait que il est entrez
Devant la rue as espiciers.
12   Li vallet batent les mortiers;
Et quant il les espices sent,
Qui li donast cent mars d'argent,
Ne marchast il avant un pas,
16   Ainz chiet pasmez isnelepas
Autresi com se il fust morz.
Iluec fu granz li desconforz
Des genz, qui dïent: 'Dieus, merci!
20   Vez de cest home qu'est morz ci!'
Et ne sevent dire por quoi.
Et li asne esturent tuit quoi
En mi la rue volentiers,
24   Quar l'asne n'est pas costumiers
D'aler, se l'en nel semonoit.
    Un preudome qu'iluec estoit,
Qui en la rue avoit esté,
28   Cele part vient, s'a demandé
As genz que entor lui veoit:
'Seignor,' fait il, 'se nul voloit
A faire garir cest preudom,
32   Gel gariroie por du son.'
Maintenant li dit un borgois:
'Garissiez le tot demenois;

4

Vint sous avrez de mes deniers.'
36   Et cil respont: 'Molt volantiers!'
Donc prant la forche qu'il portoit
A quoi il ses asnes chaçoit;
Du fien a pris une palee,
40   Si li [a] au nés aportee.
Quant cil sent du fiens la flairor
Et perdi des herbes l'odor,
Les elz oevre, s'est sus sailliz,
44   Et dist que il est toz gariz.
Molt en est liez et joie en a,
Et dit par iluec ne vendra
Ja mais, se aillors puet passer.
48   Et por ce vos vueil ge monstrer
Que cil fait ne sens ne mesure
Qui d'orgueil se desennature:
Ne se doit nus desnaturer.

56c

III. ESTULA

Il estoient jadis dui frere
Sanz solaz de pere et de mere
Et sanz tote autre conpeignie.
4   Povretez ert molt lor amie,
En tot tans ert en lor conpeigne,
Et c'est la rien qui plus meaigne
Cez entor cui ele se tient:
8   Nus si tres grevous maus ne vient.
   A escot manjoient endui
Li frere don je dire dui.
Une nuit furent molt destroit
12   De fain et de soif et de froit;
Chascuns de cez maus sovant vient
A cez qui Povreté maintient.
Lors se pranent a porpanser
16   Comment se porroient tanser
Vers Femine qui les engoisse:
En famine a molt grant engoisse.
Uns riches hom molt asazez
20   Menoit assez pres de lor mez:
S'il fust povres, il fust des fous.
En son cortil avoit des chos
Et en son bercil des brebiz.
24   Endui se sont cele part mis.
Povretez fait maint home fol.
Li uns prant un sac a son col,
L'autres un cortel en sa main;
28   Par un santier saillent au plain
El cortil, et li uns s'asiet;
Qui que il poist ne cui il griet,
Des chos tranche par lo cortil.
32   L'autres se trait pres do bercil
Por l'uis ovrir: tant fait qu'il l'ovre.
Lors li sanble que bien vient l'ovre:

6

Tastant va lo plus grax moston.
36 Mais encor adonc seoit om
En l'ostel, si q'an tresoï
L'uis del bercil qant il l'ovri.
Li vilains apele son fil:
40 'Va,' fait il, 'oïr au bercil,
S'apele Estula a maison!'
Estula li chiens avoit non,
Et li vallez cele part va
44 S'apele: 'Estula! Estula!'
Et cil del bercil respondi:
'Oïl, voirement sui je cil'
I[l] faisoit molt oscur et noir,
48 Si qu'il nel pot apercevoir,
Celui qui la li responoit,
Mais en son cuer de voir cuidoit
Que li chiens aüst respondu.
52 N'i a plus iluec atandu,
Mais arrieres est retornez,
De pëor dut estre pasmez.
'Q'as tu, biaus fiz?' ce dit li pere.
56 'Sire, foi que je doi ma mere,
Estula parla ore a moi!'
'Qui? Nostre chiens?' 'Voire, par foi! *116d*
Et se croire ne me volez,
60 Huchiez lo ja! Parler l'orez!'
Li vilains maintenant s'an cort
Por la mervoille; entre en la cort,
Si ap[ele] Estula, son chien.
64 Et cil qui ne se gardoit rien
Respont: 'Voirement sui je ça!'
Li prodons grant mervoille en a.
'Biaus filz, par esperites saintes,
68 J'ai oï avantures maintes,
Ainz a ceste n'oï paroille.
Va tost, si conte la mervoille
Au preste, si l'amoine o toi,
72 Si li di qu'il aport o soi
L'estole et l'eve beneoite.'

C

Cil au plus tost qu'il pot esploite
Tant qu'il vint a l'ostel a preste.
76   Ne demora gaires a estre,
Ainz s'an vient au preste tot droit
Si li dist: 'Venez orandroit
Oïr en maison la mervoille:
80   Onques n'oïstes sa paroille!
Prenez l'estole a vostre col.'
Li prestes dit: 'Je te cuit fol,
Qui or me viaus la fors mener!
84   Deschaus sui, si ne puis aler.'
Et cil respont tot sanz delai:
'Si feroiz! Je vos porterai.'
Li prestes a prise s'estole
88   Et monte sans plus de parole   *117a*
Au col celui, et cil s'an va
La voie si com il vint la,
Qu'il voloit aler plus briement.
92   Par lo santier tot droit descent
La o cil descendu estoient
Qui lor vitaille querre aloient.
Cil qui aloit les chos coillant
96   Vit lo prevoire blanchoiant,
Si cuida ce fust son conpain
Qui aportast aucun gaain,
Si li demande par grant joie:
100 'Aportes rien?' 'Que je devoie,'
Fait cil qui cuidoit que ce fust
Ses peres qui parlé aüst.
'Or tost,' fait il, 'gitiez lo jus:
104 Mes costiaux est toz esmoluz,
Jel fis ier modre a la forje,
Ja avra copee la gorje.'
Et qant li prestes l'antandi,
108 Bien cuida q'an l'aüst traï:
Sailliz est jus del col celui
Qui n'en ot mie mains de lui
Qui tot maintenant s'an foï.
112 Li prestes el santier sailli,

Mais ses sorpeliz atacha
A un pel, si qu'il l'i laissa,
Qu'il n'i osa pas tant ester
116   Qu'il lo poïst del pel oster.
Et cil qui ot les chos coilliz
Ne fu mie mains esbaïz   *117b*
Que cil qui por lui s'an fuioient,
120   Qu'il ne savoit qui il estoient,
Et neporqant s'i ala pandre
Lo blanc que il vit au pel pandre,
Si sant que c'e[s]t uns sorpeliz.
124   Et ses freres est fors sailliz
Del bercil o tot un moston,
Si apela son conpeignon
Qui son sac avoit plains de chos:
128   Bien ont endui chargié les cous.
Iluec n'osent lonc sejor faire,
Ançois se mestent au repaire
Vers l'ostel qui estoit bien pres[t].
132   Lors a cil mostré son conquest
Qui gaaigna lo sorpeliz,
S'an ont assez gabé et ris,
Car li rires lor est randuz
136   Qui devant lor ert desfanduz.
    En petit d'ore Deus labore,
Teus rit au main qui au soir plore.

IV. BRIFAUT

D'um vilain riche et nonsachant,
Qui aloit les marchiez cerchant
A Arraz, Abeville, a Lanz,
4   M'est venu de conter talanz,
S'en diré, s'oïr me volez.
Molt doi bien estre escoutez.
De ce di ge, que fous que nices,
8   Que tieus hon n'est pas de sens riches
Ou l'en cuide molt de savoir,
S'il ert povres et sanz avoir
Que l'en tenroit por fol prové.
12   Issi avon or esprové
Lou voir et fait devenir faus.
    Li vilains avoit non Brifaus.
Un jor en aloit au marchié;
16   A son col avoit enchargié
Dis aunes de molt bone toille;
Par devant li bat a l'ortoille,
Et par deriers li traïnoit.
20   Uns lerres derrieres venoit,
Qui s'apensa d'une grant guille:
Un fil en une aguille enfille,
La toille sozlieve de terre
24   Et molt pres de son piz la serre,
Si la qeust devant a sa cote;
Pres a pres do vilain se frote,
Qui enbatuz s'ert en la fole.
28   Brifaus en la presse se foule,
Et cil l'a bouté et sachié
Qu'a la terre l'a trebuchié,
Et la toille li est chaüe,
32   Et cil l'a tantost receüe,
Si se fiert entre les vilains.
Quant Brifaus vit vuides ses mains,

Dont n'ot en lui que correcier,
36 En haut commença a huchier:
'Dieus! Ma toille! Je l'ai perdue!
Dame sainte Marie, aiüe!
Qui a ma toille? Qui la vit?'
40 Li lerres s'estut un petit,
Qui la toille avoit sor son col;
Au retorner lo tint por fol,
Si s'en vient devant lui ester,
44 Puis dist: 'Qu'as tu a demander,
Vilains?' 'Sire, je ai bien droit,
Que j'aporté ci orendroit
Une grant toille, or l'ai perdue.'
48 'Se l'eüsses ausi cosue
A tes dras com je ai la moie
Ne l'eüsses gitiee en voie.'
Dont s'en vait et lou lait atant;
52 De sa toille fist son commant,
Car cil doit bien la chose perdre
Qui folement la let aerdre.
   Atant Brifaus vient en maison;
56 Sa feme lou met a raison,
Si li demande des deniers.
'Suer,' fait il, 'va a ces greniers,
Si pren do blé et si lo vent,
60 Se tu viaus avoir de l'argent,
Car certes je n'en aport gote.'
'Non?' fait ele. 'La male goute

10b

Te puist hui cest jor acorer!'
64 'Suer, ce me doiz tu bien orer
Et faire encor honte graignor.'
'Ha! Por la crois au Sauvëor,
Qu'est dont la toille devenue?'
68 'Certes,' fait il, 'je l'ai perdue.'
'Si com tu as mençonge dite
Te preigne male mort soubite!
Brifaut, vos l'avez brifaudee!
72 Car fust or la langue eschaudee
Et la gorge par ou passerent

Li morsel qui si chier costerent!
Bien vos devroit en devorer.'
76 'Suer, si me puist Morz acorer,
Et si me doint Dieus male honte,
Se ce n'est voirs que je vos conte.'
Maintenant Morz celui acore,
80 Et sa feme en ot pis encore,
Que ele enraja tote vive.
Cil fu tost morz, mais la chaitive
Vesqui a dolor et a raje.
84   Ensi plusor par lor otrage
Muerent a dolor et a honte.
Tieus est la fins de nostre conte.

V. DES TROIS BOÇUS

Seignor, se vous volez atendre
Et un seul petitet entendre,
Ja de mot ne vous mentirai,   *238d*
4   Mes tout en rime vous dirai
D'une aventure le fablel.
Jadis avint a un chastel,
Mes le non oublĩé en ai,
8   Or soit aussi comme a Douay.
Un borgois i avoit manant
Qui du sien vivoit belemant.
Biaus hon ert et de bons amis,
12   Des borgois toz li plus eslis,
Mes n'avoit mie grant avoir;
Si s'en savoit si bien avoir
Que molt ert creüz par la vile.
16   Il avoit une bele fille,
Si bele que c'ert uns delis,
Et, se le voir vous en devis,
Je ne cuit qu'ainz feïst Nature
20   Nule plus bele creature.
De sa biauté n'ai or que fere
A raconter ne a retrere,
Quar, se je mesler m'en voloie,
24   Assez tost mesprendre i porroie;
Si m'en vient mieus tere orendroit
Que dire chose qui n'i soit.
En la vile avoit un boçu,
28   Onques ne vi si malostru;
De teste estoit molt bien garnis,
Je cuit bien que Nature ot mis
Grant entencĩon a lui fere.
32   A toute riens estoit contrere.
Trop estoit de laide faiture:
Grant teste avoit et laide hure,

13

Cort col, et les espaules lees,
36 Et les avoit haut encroëes.
De folie se peneroit
Qui tout raconter vous voudroit
Sa façon: trop par estoit lais.
40 Toute sa vie fu entais
A grant avoir amonceler.
Por voir vous puis dire et conter,
Trop estoit riches durement;
44 Se li aventure ne ment,
En la vile n'ot si riche homme.
Que vous diroie? C'est la somme
Du boçu, comment a ouvré.
48 Por l'avoir qu'il ot amassé
Li ont donee la pucele
Si ami, qui tant estoit bele;
Mes ainz, puis qu'il l'ot espousee,
52 Ne fu il un jor sanz penssee
Por la grant biauté qu'ele avoit.
Li boçu si jalous estoit
Qu'il ne pooit avoir repos.
56 Toutejor estoit ses huis clos;
Ja ne vousist que nus entrast
En sa meson, s'il n'aportast
Ou s'il emprunter ne vousist.
60 Toutejor a son sueil seïst,
Tant qu'il avint a un Noël
Que troi boçu menesterel
Vindrent a lui ou il estoit;
64 Se li dist chascuns qu'il voloit
Fere cele feste avoec lui,
Quar en la vile n'a nului
Ou le deüssent fere mieus,
68 Por ce qu'il ert de lor parieus
Et boçus ausi comme il sont.
Lors les maine li sire amont,
Quar la meson ert a degrez.
72 Li mengiers estoit aprestez;
Tuit se sont au disner assis,

239a

Et, se le voir vous en devis,
Li disners ert et biaus et riches.
76 Li boçus n'ert avers ne chiches,
Ainz assist bien ses conpaignons.
Pois au lart orent et chapons;
Et, quant ce vint aprés disner,
80 Si lor fist li sires doner
Aus trois boçus, ce m'est avis,
Chascun, vint sols de parisis;
Et aprés lor a desfendu
84 Qu'il ne soient ja mes veü
En la meson ne el porpris,
Quar, s'il i estoient repris,
Il avroient un baing crüel
88 De la froide eve du chanel—
La meson ert sor la riviere,
Qui molt estoit granz et pleniere.
Et, quant li boçu l'ont oï,
92 Tantost sont de l'ostel parti
Volentiers et a chiere lie,
Quar bien avoient emploïe
Lor jornee, ce lor fu vis;
96 Et li sires s'en est partis,
Puis est deseur le pont venuz.
 La dame, qui ot les boçuz
Oï chanter et solacier,
100 Les fist toz trois mander arrier,
Quar oïr les voloit chanter;
Si a bien fet les huis fermer.
Ainsi com li boçu chantoient
104 Et o la dame s'envoisoient,
Ez vous revenu le seignor,
Qui n'ot pas fet trop lonc demor.
A l'uis apela fierement.
108 La dame son seignor entent,
A la voiz le connut molt bien;
Ne sot en cest mont terrïen
Que peüst fere des boçuz,
112 Ne comment il soient repus.

239b

Un chaaliz ot lez le fouier
C'on soloit fere charriier;
El chaäliz ot trois escrins.
116 Que vous diroie? C'est la fins.
En chascun a mis un boçu.
Ez vous le seignor revenu,
Si s'est delez la dame assis,
120 Qui molt par seoit ses delis;
Mes il n'i sist pas longuement;
De leenz ist, et si descent
De la meson, et si s'en va.
124   A la dame point n'anuia
Quant son mari voit avaler.
Les boçus en vout fere aler,
Qu'ele avoit repus es escrins,
128 Mes toz trois les trova estins,
Quant ele les escrins ouvri.
De ce molt forment s'esbahi
Quant les trois boçus mors trova.
132 A l'uis vint corant, s'apela
Un porteur qu'ele a avisé;
A soi l'a la dame apelé.
Quant li bachelers l'a oïe,
136 A li corut, n'atarja mie.
'Amis,' dist ele, 'enten a moi!
Se tu me veus plevir ta foi
Que tu ja ne m'encuseras
140 D'une rien que dire m'orras,
Molt sera riches tes loiers:
Trente livres de bons deniers
Te donrai, quant tu l'avras fet.'
144 Quant li porteres ot tel plet,
Fiancié li a volentiers,
Quar il covoitoit les deniers
Et s'estoit auques entestez.
148 Le grant cors monta les degrez.
La dame ouvri l'un des escrins:
'Amis, ne soiez esbahis.
Cest mort en l'eve me portez,

152   Si m'avrez molt servi a grez.'   *239c*
        Un sac li baille, et cil le prant.
        Le boçu bouta enz errant,
        Puis si l'a a son col levé,
156   Si a les degrez avalé.
        A la riviere vint corant
        Tout droit sor le grant pont devant,
        En l'eve geta le boçu.
160   Onques n'i a plus atendu,
        Ainz retorna vers la meson.
        La dame a ataint du leson
        L'un des boçus a molt grant paine—
164   A poi ne li failli l'alaine,
        Molt fu au lever traveillie—
        Puis s'en est un pou esloingnie.
        Cil revint arrier eslessiez:
168   'Dame,' dist il, 'or me paiez.
        Du nain vous ai bien delivree.'
        'Por qoi m'avez vous or gabee,'
        Dist cele, 'sire fols vilains?
172   Ja est ci revenuz li nains;
        Ainz en l'eve ne le getastes,
        Ensamble o vous le ramenastes.
        Vez le la, se ne m'en creez!'
176   'Comment, cent deables maufez,
        Est il donc revenuz ceanz?
        Por lui sui forment merveillanz—
        Il estoit mors, ce m'est avis.
180   C'est uns deables antecris!
        Mes ne li vaut, par saint Remi!'
        Atant l'autre boçu saisi,
        El sac le mist, puis si le lieve
184   A son col, si que poi li grieve.
        De la meson ist vistemant;
        Et la dame tout maintenant
        De l'escrin tret le tiers boçu,
188   Si l'a couchié delez le fu;
        Atant s'en est vers l'uis venue.
        Li porterres en l'eve rue

            Le boçu la teste desouz.

192   'Alez! Que honis soiez vous,'
            Dist il, 'se vous ne revenez!'
            Puis est le grant cors retornez;
            A la dame dist que li pait,

196   Et cele, sanz nul autre plait,
            Li dist que bien li paiera.
            Atant au fouier le mena
            Ausi com se rien ne seüst

200   Du tiers boçu, qui la se jut.
            'Voiés,' dist ele, 'grant merveille!
            Qui oï ainc mes la pareille?
            Revez la le boçu ou gist!'   *239d*

204   Li bachelers pas ne s'en rist
            Quant le voit gesir lez le fu.
            'Voiz,' dist il, 'por le saint cuer bu!
            Qui ainc mes vit tel menestrel?

208   Ne ferai je dont huimés el
            Que porter ce vilain boçu?
            Tozjors le truis ci revenu,
            Quant je l'ai en l'eve rüé.'

212   Lors a le tiers ou sac bouté;
            A son col fierement le rue;
            D'ire et de duel, d'aïr tressue.
            Atant s'en torne ireement,

216   Toz les degrez aval descent;
            Le tiers boçu a descarchié,
            Dedenz l'eve l'a balancié.
            'Va t'en,' dist il, 'au vif maufé!

220   Tant t'averai hui conporté!
            Se te voi meshui revenir,
            Tu vendras tart au repentir.
            Je cuit que tu m'as enchanté,

224   Mes, par le Dieu qui me fist né,
            Se tu viens meshui aprés moi,
            Et je truis baston ou espoi,
            Tel te donrai el haterel

228   Dont tu avras rouge bendel.'
             A icest mot est retornez

Et sus en la meson montez.
Ainz qu'eüst les degrez monté,
232 Si a derrier lui regardé
Et voit le seignor qui revient.
Li bons hom pas a geu nel tient;
De sa main s'est trois foiz sainiez:
236 'Nomini damedieus aidiez!'
Molt li anuie en son corage.
'Par foi,' dist il, 'cis a la rage
Qui si pres des talons me siut
240 Que par poi qu'il ne me consiut.
Par la roële saint Morant,
Il me tient bien por païsant,
Que je nel puis tant conporter
244 Que ja se vueille deporter
D'aprés moi adés revenir!'
Lors cort a ses deus poins sesir
Un pestel qu'a l'uis voit pendant,
248 Puis revint au degré corant.
Li sires ert ja pres montez.
'Comment, sire boçus, tornez?
Or me samble ce enresdie;
252 Mes, par le cors sainte Marie,
Mar retornastes ceste part.   *240a*
Vous me tenez bien por musart.'
Atant a le pestel levé,
256 Si l'en a un tel cop doné
Sor la teste, qu'il ot molt grant,
Que la cervele li espant;
Mort l'abati sor le degré,
260 Et puis si l'a ou sac bouté.
D'une corde la bouche loie;
Le grant cors se met a la voie,
Si l'a en l'eve balancié
264 A tout le sac, qu'il ot lïé,
Quar paor avoit duremant
Qu'il encor ne l'alast sivant.
'Va jus,' dist il, 'a maleür!
268 Or cuit je estre plus asseür

Que tu ne doies revenir,
Si verra l'en les bois foillir.'
A la dame s'en vint errant;
272   Si demande son paiemant,
Que molt bien a son commant fet.
La dame n'ot cure de plet;
Le bacheler paia molt bien
276   Trente livres, n'en falut rien:
Trestout a son gré l'a paié,
Que molt fu lie du marchié.
Dist que fet a bone jornee,
280   Despuis que il l'a delivree
De son mari, qui tant ert lais.
Bien cuide qu'ele n'ait jamais
Anui nul jor qu'ele puist vivre,
284   Quant de son mari est delivre.
     Durans, qui son conte define,
Dist c'onques Dieus ne fist meschine
C'on ne puist por deniers avoir;
288   Ne Dieus ne fist si chier avoir,
Tant soit bons ne de grant chierté,
Qui voudroit dire verité,
Que por deniers ne soit eüs.
292   Por ses deniers ot li boçus
La dame, qui tant bele estoit.
Honiz soit li hom, quels qu'il soit,
Qui trop prise mauvés deniers
296   Et qui les fist fere premiers.

VI. DE LA BORGOISE D'ORLIENS

Or vous dirai d'une borgoise
Une aventure assez cortoise.
Nee et norrie fu d'Orliens,
4 Et ses sires fu nez d'Amiens,
Riches mananz a desmesure.
De marcheandise et d'usure
Savoit toz les tors et les poins,
8 Et ce que il tenoit aus poins
Estoit bien fermement tenu.
 En la vile furent venu
Quatre noviaus clers escoliers;
12 Lor sas portent comme coliers.
Li clerc estoient gros et gras,
Quar molt menjoient bien, sanz gas.
En la vile erent molt proisié
16 Ou il estoient herbregié.
Un en i ot de grant ponois
Qui molt hantoit chiés un borgois,
Sel tenoit on molt a cortois;
20 N'ert plains d'orgueil ne de bufois,
Et a la dame vraiement
Plesoit molt son acointement;
Et tant vint et tant i ala
24 Que li borgois se porpenssa,
Fust par samblant ou par parole,
Que il le metroit a escole,
S'il en pooit en leu venir
28 Que a ce le peüst tenir.
Leenz ot une seue niece,
Qu'il ot norrie molt grant piece;
Priveement a soi l'apele,
32 Se li promet une cotele,
Mes qu'el soit de cele oevre espie
Et que la verité l'en die.

163b

21

Et l'escolier a tant proié
36   La borgoise par amistié
Que sa volenté li otroie;
Et la meschine toutevoie
Fu en escout tant qu'ele oï
40   Comme il orent lor plet basti.
Au borgois en vient maintenant
Et li conte le couvenant;
Et li couvenanz tels estoit,
44   Que la dame le manderoit
Quant ses sires seroit errez;
Lors venist aus deus huis serrez
Du vergier qu'el li enseigna,
48   Et el seroit contre lui la
Quant il seroit bien anuitié.
Li borgois l'ot, molt fu haitié;
A sa fame maintenant vient;
52   'Dame,' fet il, 'il me covient
Aler en ma marcheandie.
Gardez l'ostel, ma chiere amie,
Si com preude fame doit fere.
56   Je ne sai rien de mon repere.'
'Sire,' fet ele, 'volentiers.'
Cil atorna les charretiers
Et dist qu'il s'iroit herbregier
60   Por ses jornees avancier
Jusqu'a trois liues de la vile.
     La dame ne sot pas la guile,
Si fist au clerc l'uevre savoir.
64   Cil, qui les cuida decevoir,
Fist sa gent aler herbregier,
Et il vint a l'uis du vergier,
Quar la nuit fu au jor meslee;
68   Et la dame tout a celee
Vint encontre, l'uis li ouvri,
Entre ses braz le recueilli,
Qu'el cuide que son ami soit;
72   Mes esperance la deçoit.
'Bien soiez vous,' dist el, 'venuz!'

Cil s'est de haut parler tenuz,
Se li rent ses saluz en bas.
76 Par le vergier s'en vont le pas,
Mes il tint molt la chiere encline,
Et la borgoise un pou s'acline,
Par souz le chaperon l'esgarde,
80 De trahison se done garde,
Si connut bien et aperçoit
C'est son mari qui la deçoit.
Quant el le prist a aperçoivre,
84 Si repensse de lui deçoivre.
Fame a trestout passé Argu;
Par lor engin sont deceü
Li sage des le tens Abel.
88 'Sire,' fet ele, 'molt m'est bel
Que tenir vous puis et avoir.
Je vous donrai de mon avoir,
Dont vous porrez voz gages trere,
92 Se vous celez bien cest afere.
Or alons ça tout belement!
Je vous metrai priveement
En un solier dont j'ai la clef,
96 Iluec m'atendrez tout souef
Tant que noz genz avront mengié;
Et quant trestuit seront couchié,
Je vous menrai souz ma cortine;
100 Ja nus ne savra la couvine.'
'Dame,' fet il, 'bien avez dit.'
Dieus! comme il savoit or petit
De ce qu'ele pensse et porpensse!
104 Li asniers un[e] chose pensse,
Et li asnes pensse tout el.
Tost avra il mauvés ostel,
Quar, quant la dame enfermé l'ot
108 El solier, dont i[ss]ir ne pot,
A l'uis del vergier retorna;
Son ami prist, qu'ele trova,
Si l'enbrace et acole et baise:
112 Molt est, je cuit, a meillor aise

D

Li secons que le premerain.
La dame lessa le vilain
Longuement ou solier jouchier.
116 Tost ont trespassé le vergier,
Tant qu'en la chambre sont venu   *163d*
Ou li drap furent portendu.
La dame son ami amaine,
120 Jusqu'en la chambre le demaine,
Si l'a souz le covertoir mis;
Et cil s'est tantost entremis
Du geu que amors li commande,
124 Qu'il ne prisast une alemande
Toz les autres, se cil n'i fust,
Ne cele gré ne l'en seüst.
Longuement se sont envoisié.
128 Quant ont acolé et baisié,
'Amis,' fet ele, 'or remaindrez
Un petitet, si m'atendrez,
Quar je m'en irai la dedenz
132 Por fere mengier cele gent,
Et nous souperons, vous et moi,
Encore anuit tout a recoi.'
'Dame, a vostre commandement.'
136   Cele s'en part molt belement,
Vint en la sale a sa mesnie,
A son pooir la fet haitie.
Quant li mengiers fu atornez,
140 Menjüent et boivent assez;
Et, quant orent mengié trestuit,
Ainz qu'il fussent desrengié tuit,
La dame apele sa mesnie,
144 Si parole comme enseignie.
Deus neveus au seignor i ot
Et un garz qui eve aportot,
Et chamberieres i ot trois,
148 Si i fu la niece au borgois,
Deus pautoniers et un ribaut.
'Seignor,' fet el, 'se Dieus vous saut,
Entendez ore ma reson:

152   Vous avez en ceste meson
      Veü ceenz un clerc venir,
      Qui nè me lest en pés garir;
      Requise m'a d'amors lonc tens,
156   Je l'en ai fet trente desfens;
      Quant je vi que je n'i garroie,
      Je li promis que je feroie
      Tout son plesir et tout son gré
160   Quant mon seignor seroit erré.
      Or est errez, Dieus le conduie!
      Et cil, qui chascun jor m'anuie,
      Ai molt bien couvenant tenu;
164   Or est a son terme venu.
      Lasus m'atent en ce perrin.
      Je vous donrai du meillor vin
      Qui soit ceenz une galoie,   *164a*
168   Par couvant que vengie en soie:
      En ce solier a lui alez
      Et de bastons bien le batez
      Encontre terre et en estant;
172   Des orbes cops li donez tant
      Que jamés jor ne li en chaille
      De prïer fame qui rien vaille!'
        Quant la mesnie l'uevre entent,
176   Tuit saillent sus, nus n'i atent.
      L'un prent baston, l'autre tiné,
      L'autre pestel gros et mollé.
      La borgoise la clef lor baille.
180   Qui toz les cops meïst en taille,
      A bon contëor le tenisse.
      'Ne soufrez pas que il en isse,
      Ainz l'acueilliez el solier haut!'
184   'Par Dieu,' font il, 'sire clercgaut,
      Vous serez ja desciplinez!'
      Li uns l'a a terre aclinez,
      Et par la gorge le saisi,
188   Par le chaperon l'estraint si
      Que il ne puet nul mot soner.
      Puis l'en acueillent a doner;

De batre ne sont mie eschars.
192   S'il en eüst doné mil mars,
N'eüst mieus son hauberc roulé.
Par maintes foiz se sont mollé
Por bien ferir ses deus nevous,
196   Primes desus et puis desous;
Merci crïer ne li vaut rien.
Hors le traient comme un mort chien,
Si l'ont sor un fumier flati.
200   En la meson sont reverti;
De bons vins orent a foison,
Toz des meillors de la meson,
Et des blans et des auvernois,
204   Autant com se il fussent rois.
Et la dame ot gastiaus et vin
Et blanche toaille de lin
Et grosse chandoile de cire;
208   Si tient a son ami concile
Toute la nuit dusques au jor.
Au departir si fist amor
Que vaillant dis mars li dona
212   Et de revenir li pria
Toutes les foiz que il porroit.
    Et cil qui el fumier gisoit
Si se remua comme il pot
216   Et vait la ou son harnois ot.
Quant ses genz si batu le virent,
Duel orent grant, si s'esbahirent.
Enquis li ont comment ce vait.
220   'Malement,' ce dist il, 'me vait.
A mon ostel m'en reportez,
Et plus rien ne me demandez.'
Tout maintenant l'ont levé sus,
224   Onques n'i atendirent plus.
Mes ce l'a molt reconforté
Et mis hors de mauvés penssé
Qu'il sent sa fame a si loial;
228   Un oef ne prise tout son mal
Et pensse, s'il en puet garir,

Molt la voudra tozjors chierir.
    A son ostel est revenu,
232 Et quant la dame l'a veü,
De bones herbes li fist baing,
Tout le gari de son mehaing.
Demande lui com li avint.
236 'Dame,' fet il, 'il me covint
Par un destroit peril passer,
Ou l'en me fist des os quasser.'
Cil de la meson li conterent
240 Du clercgaut, comme il l'atornerent,
Comment la dame lor livra.
'Par mon chief, el s'en delivra
Com preude fame et comme sage!'
244   Onques puis en tout son eage
Ne la blasma ne ne mescrut,
N'onques cele ne se recrut
De son ami amer tozdis
248 Tant qu'il ala en son païs.

VII. BAILLET

Mos sans vilennie
Vous veil recorder,
Afin qu'en s'en rie,
4   D'un franc savetier,
Qui a non Baillait; mes par destourbier
Prist trop bele fame, si l'en mescheï,
Qu'ele s'acointa d'un prestre joli,
8   Mes le çavetier molt bien s'en chevi.

Quant Baillet aloit
Hors de son ostel,
Le prestre venoit,
12   Qui estoit isnel;
A la savetiere fourbissoit l'anel;
Entr'eus deus faisoient molt de leur soulas;
Des meilleurs morsiaus mengoient a tas,
16   Et le plus fort vin n'espargnoient pas.

Le savetier frans
Une fille avoit
D'environ trois ans,
20   Qui molt bien parloit.
A son pere dit, qui souliers cousoit:
'Voir, ma mere a duel qu'estes ceens tant.'
Bailet respondi: 'Pour quoy, mon enfant?'   *193c*
24   'Pour ce que le prestre vous va trop doutant.

Mes, quant alez vendre
Vos souliers aus gens,
Lors vient, sans attendre,
28   Monseigneur Lorens.
De bonnes viandes fet venir ceens,
Et ma mere fait tartes et pastez.
Quant la table est mise, l'en m'en donne assez,
32   Mes n'ay que du pain, quant ne vous mouvez.'

Baillet sot sans doute,
Quant le mot oÿ,
Qu'il n'avoit pas toute
36   Sa fame a par li,
Mes n'en fist semblant jusqu'a un lundi
Qu'il dist a sa fame: 'Je vois au marchié.'
Cele, qui vousist qu'il fust escorchié,
40   Li dist: 'Tost alez, ja n'en wiegne pié.'

Quant elle pensa
Qu'il fust eslongiez,
Le prestre manda,
44   Qui vint forment liez.
D'atourner viandes se sont avanciez,
Puis firent un baing pour baingnier eulz deus.
Mes Baillet ne fu tant ne quant honteus:
48   Droit a son ostel s'en revint tous ceulz.

Le prestre asseür
Se cuida baignier;
Baillet par un mur
52   Le vit despoillier,
Lors hurta a l'uis et prist a huchier.   *193d*
Sa fame l'oÿ, que faire ne sot,
Mes au prestre dit: 'Boutez vouz tantost
56   Dedens ce lardier et ne dites mot.'

Baillet la maniere
Et tout le fait vit;
Lors la çavetiere
60   L'apela et dit:
'Bien vegniez vous, sire! Sachiez sans respit
Que mont bien pensoie que retourriez.
Vostre disner est tout appareilliez
64   Et le baing tout chaut ou serez baingniez.

Voir, ne le fiz faire
Que pour vostre amour,

        Quar mont vous faut traire
68   De mal chascun jour.'
Baillet, qui vouloit jouer d'autre tour,
Li dist: 'Dieus m'avoit de tous poins aidié,
Mes raler me faut errant au marchié.'
72   Le prestre ot grant joie, qui s'estoit mucié;

        Mes ne savoit mie
        Que Baillet pensa.
        La plus grant partie
76   Des voisins manda.
Molt bien les fist boire et puis dit leur a:
'Sur une charete me faut trousser haut
Ce viez lardier la: vendre le me faut.'
80   Lors trembla le prestre, qu'il n'avoit pas chaut.

        On fist ens en l'eure   *194a*
        Le lardier trousser.
        Baillet sans demeure
84   L'en a fait mener
En la plus grant presse que pot onc trouver.
Mes le las de prestre, qui fu enserré,
Ot un riche frere, qui estoit curé
88   D'assez pres d'ilec. La vint, bien monté,

        Qui sot l'aventure
        Et le destourbier.
        Par une creveure,
92   Qui fu ou lardier,
Le connut son frere; haut prist a huchier:
'*Frater, pro Deo, delibera me.*'
Quant Baillet l'oÿ, haut s'est escrïé:
96   'Esgar! Mon lardier a latin parlé!

        Vendre le vouloie,
        Mes, par saint Symon,
        Il vaut grant monnoie;
100   Nous le garderon.
Qui li a apris a parler laton?
Par devant l'evesque le feron mener,

Mes ains le feray ci endroit parler,
104   Lonc temps l'ai gardé, si m'en faut jouer.'

      Lors le frere au prestre
      Li a dit ainsi:
      'Baillet, se veus estre
108   Tourjours mon ami,
Vent moy ce lardier, et pour voir te di
Je l'acheteray tout a ton talent.'
Baillet respondi: 'Il vaut grant argent,   *194b*
112   Quant latin parole devant toute gent.'

      Ja pourrez entendre
      Le sens de Baillet.
      Afin de mieus vendre
116   Prist un grant maillet,
Puis a juré Dieu c'un tel rehaingnet
Dourra au lardier qu'il sera froëz,
S'encore ne dist du latin assez.
120   Molt grant pueple s'est entour aünez.

      Plusieurs gens cuidoient
      Que Baillet fust fol,
      Mes folleur pensoient.
124   Il jura saint Pol
Que du grant maillet, qu'il tint a son col,
Sera le lardier rompus de tous sens.
Le chetif de prestre, qui estoit dedens,
128   Ne savoit que faire; pres n'issoit du sens.

      Il ne s'osoit taire,
      Ne n'osoit parler;
      Le Roy debonnaire
132   Prist a reclamer.
'Conment,' dist Baillet, 'faut il tant tarder?
S'errant ne paroles, mescheant lardier,
Par menues pieces t'iray despecier.'
136   Alors dist le prestre, n'osa delaier:

'*Frater, pro Deo*
Me delibera;
Reddam tan cito
140   *Ce qu'il coustera.*'
Quant Baillet l'oÿ, en haut s'escria: *194c*
'Çavetiers me doivent amer de cuer fin,
Quant a mon lardier fais parler latin.'
144   Lors le frere au prestre dist: 'Baillet, voisin,

En tant com vous prie,
Le lardier vendez;
Ce sera folie
148   Se vous le quassez;
Ne me faites pas du pis que pouez.'
'Sire,' dist Baillet, 'sus sains vous plevis
J'en aroy vint livres de bons parisis.
152   Il en vaut bien trente, que molt est soutiz.'

Le prestre n'osa
Le mot refuser;
A Baillet ala
156   Vint livres conter,
Puis fist le lardier en tel lieu porter
Ou priveement mist son frere hors.
Bon ami li fu a cel besoing lors,
160   Quar d'avoir grant honte li garda son cors.

Baillet ot vint livres
Et tout par son sens;
Ainsi fu delivres
164   Monseigneur Lorens.
Je croi c'onques puis ne li prist pourpens
D'amer par amours fame a çavetier.
Par ceste chançon vous puis tesmoignier
168   Que du petit weil se fait bon guetier:
168a   *Ex oculo pueri noli tua facta tueri,*

Quar par la fillete
Fu le fait sceü,

Qui estoit joneite.
172   N'est si haut tondu,
Se vers çavetiers s'estoit esmeüs,
Qu'en la fin du tour n'en eüst du pis.
Gardez, entre vous qui estes jolis,
176   Que vous ne soiez en tel lardier mis.

VIII. DE BRUNAIN, LA VACHE AU PRESTRE

D'un vilain cont et de sa fame,
C'un jor de feste Nostre Dame
Aloient ourer a l'yglise.
4 Li prestres, devant le servise,
Vint a son proisne sermoner,
Et dist qu'il fesoit bon doner
Por Dieu, qui reson entendoit;
8 Que Dieus au double li rendoit,
Celui qui le fesoit de cuer.
'Os,' fet li vilains, 'bele suer,
Que noz prestres a en couvent:
12 Qui por Dieu done a escïent,
Que Dieus li fet mouteploier.
Mieus ne poöns nous emploier
No vache, se bel te doit estre,
16 Que por Dieu le donons le prestre.
Ausi rent ele petit lait.'
'Sire, je vueil bien que il l'ait,'
Fet la dame, 'par tel reson.'
20 Atant s'en vienent en meson,
Que ne firent plus longue fable.
Li vilains s'en entre en l'estable,
Sa vache prent par le lïen,
24 Presenter le vait au doien.
Li prestres ert sages et cointes.
'Biaus sire,' fet il a mains jointes,
'Por l'amor Dieu Blerain vous doing.'
28 Le lïen li a mis el poing,
Si jure que plus n'a d'avoir.
'Amis, or as tu fet savoir,'
Fet li provoires, dans Constans,
32 Qui a prendre bee toz tans.
'Va t'en. Bien as fet ton message.
Quar fussent or tuit ausi sage

34

Mi paroiscien comme vous estes:
36 S'averoie plenté de bestes.'
Li vilains se part du provoire.
Li prestres commanda en oirre
C'on face por aprivoisier
40 Blerain avoec Brunain lïer,
La seue grant vache demaine.

229c

Li clers en lor jardin la maine.
Lor vache trueve, ce me samble;
44 Andeus les acoupla ensamble.
Atant s'en torne, si les lesse.
La vache le prestre s'abesse,
Por ce que voloit pasturer;
48 Mes Blere nel vout endurer,
Ainz sache le lïen si fors,
Au jardin la traïna fors.
Tant l'a menee par ostez,
52 Par chanevieres et par prez
Qu'ele est reperie a son estre
Avoeques la vache le prestre,
Qui molt a mener li grevoit.
56 Li vilains garde, si le voit;
Molt en a grant joie en son cuer.
'Ha!' fet li vilains, 'bele suer,
Voirement est Dieus hon doublere,
60 Quar li et autre revient Blere:
Une grant vache amaine brune;
Or en avons nous deus por une.
Petis sera nostre toitiaus.'
64   Par example dist cis fabliaus
Que fols est qui ne s'abandone;
Cil a le bien qui Dieu le done,
Non cil qui le muce et enfuet;
68 Nus hon mouteploier ne puet
Sanz grant eür, c'est or del mains.
Par grant eür ot li vilains
Deus vaches, et li prestres nule.
72 Tels cuide avancier qui recule.

IX. DU PROVOIRE QUI MENGA LES MORES

Qui qu'an ait ire ne despit,
Sanz terme pranre ne respit
Vos dirai d'un provoire un conte,
4   Si com Guerins le nos raconte,
Qui au marchié voloit aler.
Sa jument a fait ensseler,
Qui granz estoit et bien peüe:
8   Deus anz l'ot li prestres tenue,
N'avoit gaires ne soi ne fain,
Assez avoit aveine et fain.
Li prestre son chemin atorne;
12   Ne fait que monter, si s'en torne
Vers le marchié sor la jument,
Se l'estoire ne nos en ment.
Por icele saison me manbre,
16   Bien sai que ce fu en setenbre,
Qu'il estoit grant plenté de meures.
Li prestre vait disant ses eures,
Ses matines et ses vegiles,
20   Mais a l'entree de la vile,
Plus loing que ne giete une fonde,
Avoit une rue parfonde.
En un buisson avoit gardé,
24   Des meures i vit grant plenté,
Grosses et noires et meüres;
Et li prestres tot a droiture
Dist que, se Jhesu li aïst,
28   Si beles meures mais ne vit.
Grant fain en ot, si ot talent.
La jument fait aler plus lent,
Si s'arrestut tot a estal;
32   Mais une chose li fist mal,
Que les espines li nuisirent,
Et les meures qui si halt furent—

Les plus beles el front devant—
36   Qu'avenir n'i pot en seant.
Adonc est li prestres dreciez,
Sor la sele monte a deus piez,
Sor le buisson s'abaisse et cline,
40   Puis menjue de grant ravine   *56d*
Des plus beles qu'il i eslut;
Ainz la jument ne se remut.
Et quant il oit mengié assez,
44   Tant que il en fu toz lassez,
Vers terre garde et ne se mut
Et vit la jument qui s'estut
Vers le roschoi trestote quoie;
48   S'en ot li prestres molt grant joie
Qui a deus piez est sus montez.
'Dieus!' fait il. 'Qui or diroit: Hez!'
Il le pensa et dit ensanble,
52   Et la jument de poör tranble.
Un saut a fait tot a bandon,
Et li prestres chiet el buisson
En tel maniere entre les ronces,
56   Qui d'argent li donast cent onces,
N'alast arriere ne avant;
Et la jument s'en vait fuiant.
Chez le provoire est revenue.
60   Quant li serjant l'ont conneüe,
Chascun se maudit et se blasme,
Et la feme au prestre se paume,
Qu'ele quide que il soit morz.
64   Ci fu molt granz li desconforz;
Corant s'en vont vers le marchié.
Tant ont alé et tant marchié,
El buisson vienent trestot droit
68   Ou le prestre en malaise estoit;
Et quant il les ot dementer,
Commença lor a escrïer:
'Diva, diva! ou alez vos?
72   Ge sui ici molt doulerous,
Pensis, dolenz, molt esmaiez,

Quar trop sui malmis et bleciez
Et poinz de ronces et d'espines,
76   Don j'ai sanglentes les eschines.'
Li serjant li ont demandé:
'Sire, qui vos a la monté?'
'Pechié,' fait il, 'm'i enbati
80   Hui matin quant je vi[n]g par ci,
Que j'aloie disant mes ores,
Si me prist molt grant fain de mores,
Que por rien nule avant n'alasse
84   Devant que assez en mengasse;   *56e*
Si m'en est ainsi avenu
Que li buissons m'a retenu.
Quar m'aidiez tant que fors en soie!
88   Quar autre chose ne querroie,
Mais que ge fusse a garison
Et a repos en ma maison.'
    Por cest flabel poëz savoir
92   Que cil ne fait mie savoir
Qui tot son pensé dit et conte,
Quar maint domaige en vient et honte
A mainte gent, ce est la voire,
96   Ainsi com il fist au provoire.

X. LI TESTAMENT DE L'ASNE

Qui vuet au siecle a honeur vivre
Et la vie de seux ensuy[v]re
Qui beent a avoir chevance,
4   Mout trueve au siecle de nuisance,
Qu'il at mesdizans d'avantage,
Qui de ligier li font damage,

4d

Et si est touz plains d'envïeux.
8   Ja n'iert tant biaux ne gracïeux,
Se dix en sunt chiez lui assis,
Des mesdizans i avra six
Et d'envïeux i avra nuef;
12   Par derrier ne[l] prisent un oef,
Et par devant li font teil feste,
Chacuns l'encline de la teste.
Coument n'avront de lui envie
16   Cil qui n'amandent de sa vie,
Quant cil l'ont qui sont de sa table,
Qui ne li sont ferm ne metable?
Ce ne puet estre, c'est la voire.
20   Je le vos di por un prouvoire
Qui avoit une bone esglise,
Si ot toute s'entente mise
A lui chevir et faire avoir:
24   A ce ot tornei son savoir.
Asseiz ot robes et deniers,
Et de bleif toz plains ces greniers,
Que li prestres savoit bien vendre
28   Et pour la vendue atendre
De Paques a la saint Remi,
Et si n'eüst si boen ami
Qui en peüst riens née traire,
32   S'om ne li fait a force faire.
Un asne avoit en sa maison,
Mais teil asne ne vit mais hom,

Qui vint ans entiers le servi,
36   Mais ne sai s'onques teil serf vi.
Li asnes morut de viellesce
Qui mout aida a la richesce.
Tant tint li prestres son cors chier
40   C'onques nou laissat acorchier,
Et l'enfoÿ ou semetiere.
Ici lairai ceste matiere.   *5a*

    L'evesques ert d'autre maniere,
44   Que covoiteux ne eschars n'iere
Mais cortois et bien afaitiez,
Que, c'il fust jai bien deshaitiez
Et veïst preudome venir,
48   Nuns nel peüst el list tenir.
Compeignie de boens crestiens
Estoit ces droiz fisitïens;
Touzjors estoit plainne sa sale,
52   Sa maignie n'estoit pas male,
Mais quanque li sires voloit
Nuns de ces sers ne s'en doloit.
C'il ot mueble, ce fut de dete,
56   Car qui trop despent, il s'endete.
    Un jour grant compaignie avoit
Li preudons, qui toz biens savoit;
Si parla l'en de ces clers riches
60   Et des prestres avers et chiches
Qui ne font bontei ne honour
A evesque ne a seignour.
Cil prestres i fut emputeiz
64   Qui tant fut riches et monteiz;
Ausi bien fut sa vie dite
Con c'il la veïssent escrite,
Et li dona l'en plus d'avoir
68   Que troi n'em peüssent avoir,
Car hom dit trop plus de la choze
Que hom n'i trueve a la parcloze.
'Ancor at il teil choze faite
72   Dont granz monoie seroit traite
S'estoit qui la meïst avant,'

Fait cil qui vuet servir devant,
'Et c'en devroit grant guerredon.'
76 'Et qu'a il fait?' dit li preudom.
'Il at pis fait c'un Beduÿn,
Qu'il at son asne Bauduÿn   *5b*
Mis en la terre beneoite.'
80 'Sa vie soit la maleoite!'
Fait l'esvesques, 'Se ce est voirs,
Honiz soit il et ces avoirs.
Gautier, faites le nos semondre,
84 Si orrons le prestre respondre
A ce que Robers li mest seure;
Et je di, se Deus me secoure,
Se c'est voirs, j'en avrai l'amende.'
88 'Je vos otroi que l'an me pande,
Se ce n'est voirs que j'ai contei;
Si ne vos fist onques bontei.'
    Il fut semons. Li prestres vient;
92 Venuz est, respondre couvient
A son evesque de cest quas
Dont li prestres doit estre quas.
'Faus, deslëaux, Deu anemis,
96 Ou aveiz vos vostre asne mis?'
Dist l'esvesques. 'Mout aveiz fait
A sainte Esglise grant meffait—
Onques mais nuns si grant n'oÿ—
100 Qui aveiz votre asne enfoÿ
La ou on met gent crestïenne.
Par Marie l'Egyptïenne,
C'il puet estre choze provee
104 Ne par la bone gent trovee,
Je vos ferai metre en prison,
C'onques n'oÿ teil mesprison.'
Dit li prestres: 'Biaus tres dolz sire,
108 Toute parole se lait dire,
Mais je demant jor de conseil,
Qu'il est droiz que je me conseil
De ceste choze, c'il vos plait,
112 Non pas que je i bee en plait.'

'Je vuel bien le conseil aiez,
Mais ne me tieng paz a paiez
De ceste choze, c'ele est voire.'

116 'Sire, ce ne fait pas a croire.'
Lors se part li vesques dou prestre,
Qui ne tient pas le fait a feste.
Li prestres ne s'esmaie mie,

120 Qu'il seit bien qu'il at bone amie:
C'est sa borce, qui ne li faut
Por amende ne por defaut.
    Que que foz dort et termes vient.

124 Li termes vint et cil revient.
Vint livres en une corroie,
Touz ses et de bone monoie,
Aporta li prestres o soi:

128 N'a garde qu'il ait fain ne soi.
Quant l'esvesques le voit venir,
De parleir ne se pot tenir:
'Prestres, consoil aveiz eü,

132 Qui aveiz votre senz beü?'
'Sire, consoil oi ge cens faille,
Mais a consoil n'afiert bataille,
Ne vos en deveiz mervillier

136 Qu'a consoil doit on concillier.
Dire vos vueul ma conscïence,
Et, c'il i afiert penitance,
Ou soit d'avoir ou soit de cors,

140 Adons si me corrigiez lors.'
L'evesques si de li s'aprouche
Que parleir i pout bouche a bouche,
Et li prestres lieve la chiere,

144 Qui lors n'out pas monoie chiere;
Desoz sa chape tint l'argent,
Ne l'ozat montreir por la gent.
En concillant conta son conte:

148 'Sire, ci n'afiert plus lonc conte.
Mes asnes at lonc tans vescu;
Mout avoie en li boen escu.
Il m'at servi et volentiers

152   Molt loiaument vint ans entiers,
        Se je soie de Dieu assoux;
        Chacun an gaaingnoit vint soux,
        Tant qu'il at espairgnié vint livres.
156   Pour ce qu'il soit d'enfer delivres,
        Les vos laisse en son testament.'
        Et dist l'esvesques: 'Dieus l'ament,
        Et si li pardoint ces meffais
160   Et toz les pechiez qu'il at fais.'
          Ensi con vos aveiz oÿ,
        Dou riche prestre s'esjoÿ
        L'evesques; por ce qu'il mesprit,
164   A bontei faire li aprist.
        Rutebués nos dist et enseigne:
        Qui deniers porte a sa besoingne
        Ne doit douteir mauvais lÿens.
168   Li asnes remest crestïens—
        Atant la rime vos en lais—
        Qu'il paiat bien et bel son lais.

    [U]ns joliz clers, qui s'estudie
A faire chose de c'on rie,
Vos vueil dire chose novelle.
4   Se il dit chose qui soit belle,
Elle doit bien estre escoutee,
Car par biaus diz est oblïee
Maintes foiz [i]re et cussançons
8   Et abasies granz tançons,
Car, quant aucuns dit les risees,
Les fors tançons sont oblïees.
      Uns sires, qui tenoit grant terre
12   [Et] que tant haoit mortel guerre
Tote[s] genz de malveisse vie
Que il lour fesoit vilenie—
Que tot maintenant les pandoit,
16   Nulle raenson n'an pranoit—
Fist crïer un merchié novel.
Uns povres merciers sanz revel
I vint a tot son chevallet;
20   N'avoit beasse ne vallet;
Petite estoit sa mercerie.
'Que ferai je, sainte Marie,'
Dist li merciers, 'de mon cheval?
24   Il ai molt grant herbe en ce val;
Volumtiers pestre le manroe,
Se perdre je ne le cuidoe,
Car trop me coste ses ostages
28   [Et] s'avoinne et ses forrages.'
Un merchant, qui l'ot escouté,
Li dit: 'Ja mar seras douté
Que vos perdroiz la vostre chose
32   En ceste pree qui est crose.
Seur totes les terres dou monde,
Tant com il dure a la rehonde,

Ne trueve l'on si fort justisse.
36 Si vos dira par quel devisse
Vos lerroiz aler vostre beste:
Commandez les piez et la teste
Au bon seignour de ceste ville,
40 Ou il n'ai ne barat ne guille;
S'il est perduz seur sa fiance,   *154a*
Je vos di, sanz nulle creance
Vostre chevaus vos iert randuz
44 Et li lerres sera panduz,
S'il est trovez en sa contree.
Faites an ce que vos agree;
Li miens i est dois ier a nonne.'
48 'Par foi,' dit il, 'a l'eure bonel'
Dit li merciers: 'Je l'amanrei
Et puis ou val le lesserei.
A Deu, a seignour le comant.'
52 Et en latin et en romant
Conmance prïeres a feire
Que nuns ne puet son cheval traire
Du vaul ne de la praerie.
56 Li fiz Deu ne l'an faillit mie,
C'onques n'issit de la valee.
Une louve tote effamee
Vint celle part; les danz li ruhe,
60 Si l'estrangle, puis le mainjue.
    L'andemain va son cheval querre
Li merciers, si le trueve a terre
Gissant en pieces estandu.
64 'Dieus! car m'eüst on or pandu!'
Dist li merciers. 'Je le vorroe
De tote ma plus fort corroe.
Ne porrai merchiez poursuïr!
68 Hé las! il m'an covient foïr
De mon païs en autre terre,
Si me covient mon pain a querre.
Et nonporquant je m'an irei
72 Au seignour, et se li dirai
Qu'avenuz m'est tel mescheance

De mon cheval sor sa fiance,
Veoir se il le me randroit,
76   Ne se il pitié l'an panroit.'
Plorant s'an vai, juqu'a seignour.
'Sire,' dit il, 'joe greignor
Vos doint il qu'il ne m'a doneel'
80   Et li sires sanz demoree
Respondit molt cortoissemant:
'Biaus amis, bon amandemant   *154b*
Vos doint Deus; vos por quoi plorez?'
84   'Biaus sires, si vos le volez
Savoir, et je le vos dirai,
Que ja ne vos an mentirai.
Mon cheval mis en vo pesture,
88   Si fis ma grant mesaventure,
Car li lou l'ont trestot maingié,
Sire, s'an ai le san changié.
On m'avoit dit, su comandoie
92   A vos et aprés le perdoie
En pesture ne en maison,
Que vos m'an randrïez raison.
Sire, par sainte patenostre,
96   En la Deu guarde et en la vostre
Le commandoi entieremant,
Si vos pri pour Deu doucemant,
Se la raison i entandez,
100   Qu'acunne chose m'an randez.'
Li sires respont en riant:
'N'alez mie por ce plorant,'
Dit li sires. 'Confortez vosl
104   Seur vostre foi me direz vos
De vostre cheval verité?'
'Oïl, par sainte Trinité,
Ne se ja Deus me gart d'essoigne.'
108   'Se tu eüsses grant besoigne
D'ergent, por quo[i] bien le donesses,
Et de coi denier ne lessases?'
'Sire, par le peril de m'ame
112   Ne par la foi qui doi ma Dame,

Ne se ja mes cors soit essos,
Il valoit bien soissante sous.'
'Amis, la moitié de soissante
116   Vos randrai je, ce sont bien trente,
Car la moitié me comandestes,
Et l'autre moitié Deu donestes.'
'Sire, je ne li doné mie,
120   Ainz le mis en sa commandie.'
'Amis, or prenez a li guerre,
Si l'alez guagier en sa terre,
Que je plus ne vos an randroe,   *154c*
124   Se me doint Deus de mon cors joie.
Se tout commandé le m'eussiez,
Toz les soissante sous reussiez.'
Li merciers dou seignor se part
128   Et s'an vai tot droit cele part
Ou il avoit sa mercerie.
Sa delour li fu alegie
Por l'ergent que randuz li ere:
132   'Par la foi que je doi saint Pere,'
Dist il, 'se je vos tenoie,
Ne se seur vos povoir avoe,
De vostre cors l'acheteriez
136   Que trente sous me randrïez.'
    Li merciers ist hors de la ville
Et jure, foi qui doi saint Gille,
Que molt volentiers prandroit
140   Sor Deu, et si le vangeroit,
S'il an povoit le lué trover,
Que bien s'an porroit esprover.
Quant il ot sa raison finee,
144   Si voit venir par mi la pree
Un moinne que du bois se part.
Li merciers s'an va celle part,
Se li dit: 'A cui estes vos?'
148   'Biaus douz sires, que volez vos?
Je suis a Deu, le nostre Pere.'
'Hai! hai!' dit li merciers, 'biaus frere,
Que vos soiez li bien venuz.

152   Je soie plus honiz que nus
Se m'achapez en nule guisse,
S'an daviez aler en chemisse,
Tant que je serai bien paiez

156   De trente sous. Or tost! Traiez
Sanz contredit vostre grant chape.
Guardez que la main ne m'eschape
Sur vostre cors par felonie,

160   Car, foi qui doi sainte Marie,
Je vos donrai jai tel coulee,
Que tele ne vos fu donee,
Que ne vos donesse greignour.

164   Je vos gage por vo Seignour;   *154d*
Trente sous m'a fait de domage.'
'Frere, vos faites grant domage',
Dit li moinnes, 'que me tenez;

168   Mes devant le seignor venez,
Qui est justise de la terre.
Nuns moinnes ne doit avoir guerre.
Se savez moi que demander,

172   Li sires set bien commander
C'on doint a chescon sa droiture.'
'Si me doint Deus bone aventure,'
Dit li merciers, 'je vueil aler;

176   Meis s'il me davoit avaler
En sa chartre la plus parfonde,
S'averai je vostre rëonde.
Bailliez la moi apertemant,

180   Ou, foi qui doi mon sauvemant,
Vous tanroiz jai malveis sentier!'
'Sire, envis ou voleintiers,'
Dit li moinnes, 'la vos donrai je;

184   Vos me faites grant outrage.'
Cil a la chape desvestue,
Et li merciers l'ai recoillue.
    Entre le moingne et le mercier

188   Veignent au seignour encerchier
Li quieus ai droit en la querelle.
'Sire, ce n'est pas chose belle,'

Dist li moinnes, 'c'on me desrobe
192 En vostre terre de ma robe.
N'est il bien hors de memoire
Qui mat sa main sus un provoire?
Sire, ma chape m'ont tolue;
196 Faites qu'ele me soit randue.'
'Si me doint Dieux amendemant,'
Dit li merciers apertemant,
'Vos mentez, mes je vos an gage;
200 Je ne vos demant autre outrage,
S'an vueil le jugemant oïr.'
'Ce me fait le cuer resjoïr,'
Dit li moinnes, 'que vos me dites;
204 Par jugemant serai toz quites.
Je n'ai seignor fors que lo Roi   *155a*
De Paradis.' 'Par son desroi,'
Dit li merciers, 'vos ai gagié
208 Et de vostre gage ostagié.
Mon cheval li mis en sa guarde:
Morz est; se li mausfués ne m'arde,
Vos an paieroiz la moitié.'
212 'Merciers, tu es molt tot coitié,'
Dit li sires, 'de gages prandre.'
Dit li sires: 'Sanz plus estandre
Tot maintenant je jugeroie
216 Du tres plus bel que je savroe.'
'Por ce suemes nos ci venuz,'
Dit li moinnes. 'Il sera tenuz,'
Fait li sires, 'ce qui dirai.'
220 'Sire, jai ne vos desdirai,'
Dit li moinnes. 'Ne je, biaus sires,'
Dit li merciers. Qui veïst rire
Le seignor et sa conpaignie,
224 De rire ne se teignest mie.
'Or antandez le jugemant,'
Dit li sires, 'communalmant,
Car tout en haut le vos dirai.
228 Dan moinnes, je vos partirai
Deus geus; le malveis lesserez

Et a moillour vos an tanrés.
Se volez lessier le servisse
232 De Deu et de sainte Yglise,
Et autre seignour faire homage,
Vos ravez quite toz vos gages;
Et, se vos Deu servir volez
236 Ausi con vos solïez,
Le mercier vos covient paier
Trente sous por lui rapaier.
Or an faites a vostre guisse.'
240 Com li moinnes ot la devisse,
Li resist estre en s'abaïe;
Bien voit qu'il n'achapera mie.
'Sire, avant que Deu renoiesse,
244 J'avroe plus chier que paiesse,'
Dit li moinnes, 'quarante livres.'
'De trente sous serés delivres,'   *155b*
Dit li sires, 'seüremant;
248 Et porrez plus hardiemant
Prandre des biens Deu sanz outrage,
Car por lui avez cest domage.'
Li moinnes plus parler n'an osse,
252 Meis je vos di a la parclosse
Paia li moinnes dan Deniers,
Por Deu, trente sous de deniers;
Por Deu les paia sanz aumosne.
256   Et li Sires, qui toz biens done,
Gart cels de male destinee
Qui ceste rimme ont escoutee
Et celui qui l'a devissee.
260 Done moi boire, si t'agree.

XII. DE LA MALE HONTE

Seignor, oiez et escoutez
Un fablel qu'est faiz et rimés
D'un roi qui Engleterre tint.
4   Toz ce fu voirs et si avint
En icel temps que il ert rois;
Qu'en Engleterre ert us et drois
Que quant uns hom mouroit sanz oir
8   Li rois avoit tout son avoir.
Ce trovons nous avant el conte
C'uns preudons fu mors qu'ot non Honte,
Honte ert li preudom apelez.
12   Quant vint qu'il fu si adolez
Et que il vit qu'il ne vivra,
Un sien compere en apela:
'Comperes,' dist Honte, 'prenez
16   Mon avoir que vos la veez   *93d*
En cele male qui la pent.
Por Deus vos proi omnipotent,
Se ge muir, portés l'oi lou roi,
20   Si dites que ge li envoi,
Car ce est raisons et droiture.'
Et cil respont et si li jure
Que il l'i portera sanz faille,
24   Por ce que de couvent ne faille.
Honte mourut de cel malage.
Cil vout garder son comparage:
Maintenant prent la male Honte,
28   De la vile ist, le chemin monte.
Tant va, tant quiert et tant demande,
[Tant a erré par Inguelande]
Qu'il a trové le roi a Londre
32   Aval desouz un pin en l'onbre,
O lui grant part de som barnage.
'Sire,' fait il en son language,

51

'La male Honte vos aport:
36   Ge li oi couvent a la mort
La male Honte vos douroie.
Prenez la, qu'il la vos envoie;
Sire, prenés la male Honte!'
40   Quant li rois l'ot, si ot grant honte.
'Vilain,' dist il, 'tu me mesdiz,
Mais tu aies honte touzdiz,
De honte me puist Deus desfendre.
44   Prez va que ge ne te fas pendre.'
Encor voloit li vilains dire,
Mes cil le prenent o grant ire
Qui environ le roi estoient.
48   Tuit le deboutent et desvoient,   *94a*
Que tart li est, ce m'est avis,
Que il soit de cort departis;
Bien li avint qu'il ne l'ont mort.
52   'Ha! las!' fait il. 'Or me recort
Que mes comperes me proia,
Quant il mourut et il fina,
Que cest avoir au roi donasse!
56   Volentiers encore i parlasse
Et douroie la male Honte;
Mes cil chevalier et cil conte
M'avroient ja mort, bien le sai,
60   Mais or sai bien que ge ferai:
Ge gaiterai sempres lou roi
Quant au moustier ira par foi,
Et il vendra devant tretouz;
64   Encor serai ge si estouz
Que li dourai la male Honte.'
    A ce qu'il ainsint dit et conte,
Voit le roi au mostier aler,
68   Et il le courut salüer
Si comme il entroit el monstier;
La coumence en haut a huchier
Que bien l'oïrent prince et conte:
72   'Sire! Sire! La male Honte
Vos raport ge encore et offre:

D'esterlins i a plain un cofre.'
Quant li rois l'ot, si ot tel rage,

76   Avis li est que de duel arge,
Ne set que faire ne que dire.
Del vilain a et dul et ire
Qui la male Honte li baille   *94b*

80   Que il a dit: 'Ou sunt mi baille
Et cil qui menjüent mon pain,
Quant ne me tüent cel vilain?'
Quant il voient irié lou roi,

84   Seure li courent a desroi;
Ja fust li preudom maubailliz,
Mais il s'est si entr'euz tapiz
Qu'il le perdent entre la gent.

88   Es vos celui forment dolent
Qui preudom et loiaus estoit
Dou roi, qui vers lui s'aïroit
Quant li offre la male Honte,

92   Si dist que a lui plus ne monte,
Mes tierce foiz li offerra
Et puis aprés si s'en ira;
S'or le devoit li rois ocirre,

96   Si l'ira il encore dire
Tierce foïe, car c'est drois.
     Et quant par ot mengié li rois
Et il fu auques baus et liez,

100   Li vilains revint touz chargiez
De la male Honte qu'i porte.
A grant pëor, la chiere morte,
Li rehuche en haut et reconte.

104   'Sire! Sire! La male Honte,'
Fait li preudome, 'recevez,
Car par droit avoir la devez;
La male Honte vos remaigne,

108   S'en dounez a vostre compaigne;
La male Honte est grans et lee,
Si la vos ai ci aportee.   *94c*
Uns miens comperes, ce sachiés,

112   La vos envoie, et vos l'aiés,

Car vos d'Engleterre estes rois:
La male Honte aiés, c'est drois.'
Quant li rois l'ot et il l'entent
116 A poi que il d'ire ne fent.
'Seignor,' fait il, 'ge vos quemant
Que vos cel vilain maintenant
Qui ne me vuelt laisier en pés
120 Que il orendroit soit desfés!'
Li preudom fust ja entrepris,
Quant uns haus hom s'est avant mis
Qui sages ert et entendans
124 Et de parole molt sachans.
'Sire,' fait il, 'vos avés tort
Se le vilain avïez mort.
Mes ençois que li faciez honte
128 Sachiés que est la male Honte.'
'Volentiers,' fait li rois. 'Par foi,
Vilain,' fait il, 'entent a moi.
Que dis tu de la male honte?
132 Tu m'en avras fait mainte honte
En ma cort et maint grant ennui
Ne sai quantes foïes hui.'
Dont li conte cil et devise
136 Com la male Honte ot emprise
Et com Honte, son bon compere,
Li pria par l'ame sa mere
Qu'aprés sa mort li aportat.
140 Li rois l'entent, sa cuisse em bat
De la joie qu'il a eüe,
Quant la parole a entendue.
'Vilains,' fait il, 'or t'ai plus chier,
144 Car de noient m'as fait irier;
Mieus m'as gabé que nul lechierre.
Or te doins ge a bele chiere
La male Honte a ta partie,
148 Car par droit l'as bien deservie.'
Ainsint ot cil la male Honte.
    Ce dist Guillaumes en son conte
Que li vilains en a portee

94d

152 La male honte en sa contree,
    Si l'a aus Englés departie;
    Encore en o[n]t il grant partie;
    Sans la male ont il asez honte,
156 Et chascun jor lor croist et monte:
    Par mavés seignor et par lache
    Les a la honte pris en tache.

XIII. DU VILEIN MIRE

Jadis avint d'un vilein riche
Qui trop avoit, mes trop ert chiche.
Trois charues ot [il] de bués,
4   Qui totes erent a son oés,
Et deus jumenz et deus roncins,
Asez ot blé et char et vins
Et quant que mestier li estoit;
8   Mes por fame que il n'avoit
Le blamoient touz ses amis
Et tote la gent du païs,
Tant qu'i[l] leur dist qu'il en prendroit
12   Une bone, si la trovoit;
Et cil dïent qu'i[l] li querront
La meillor que il troveront.

El païs ot un chevalier,
16   Qui estoit vieus et sanz moillier,
Qui une fille avoit, molt bele
Et molt courtoise damoisele.
Les amis au vilein parlerent
20   Et au chevalier demanderent
Sa fille a oés le païsant
Qui molt estoit riche et menant,
Asez avoit joiaus et dras.
24   Que vos diroie? Enelepas
Fu otroié le mariage.
La pucele, qui molt fu sage,
Ne vot escondire son pere,
28   Car orfeline estoit de mere,
Einz otria quant qu'i[l] li plot.
Et li vileins a l'eins qu'il pot
Fist ses noces et espousa
32   Cele qui forment en pesa,
Se autre chose en osast fere.
Quant trespassé fu son afere

Et des noces et autre chose,
36   Ne demora mie grant pose
Que le vilein se porpensa
Et dist que mal esploitié a:
N'aferist pas a son mestier
40   Avoir fille de chevalier.
'Quant je serai a ma charue,
Le chapelein iert en la rue,
A qui toz les jours sunt feriez,
44   Et quant me serai esloigniez
De ma meson, li sougrestein   *12a*
Ira tant et hui et demein
Que ma fame me fortrera,
48   Si que jamés ne m'amera
Ne ne me prisera un pein.
Hé! las! cheitif!' dist le vilein.
'Or ne me sai ge conseillier,
52   Que repentir n'i a mestier.'
Forment se prist a porpenser
Com la porra de ce garder.
'Dieus!' fet il, 'se je la batoie
56   Chascun matin quant leveroie
Por aler fere mon labour,
Ele plor[r]oit au lonc du jour.
Bien sai, tant com ele plorroit,
60   Que nul ne la dornoieroit,
Et au soir, quant je revendré,
Por Dieu merci li crïerai;
Je la ferai au soir haitie
64   Et au matin iert corocie.'
    Quant le vilein ot ce pensé,
Si a a mengier demandé.
N'orent pas poison ne perdriz,
68   Mes bons frommages et oés friz
Et pein et vin a grant plenté
Que le vilein ot amassé.
Et quant la nape fu ostee,
72   De sa paume, qu'ot grant et lee,
Fiert si sa fame lés la face

Que de ses doiz i pert la trace;
Puis l'a prise par les cheveus

76   Le vilein, tant par fu il feus,
Si l'a batue tot ausi
Com se l'eüst bien deservi.
Puis s'en revet as chans arer,

80   Et cele commence a plorer.
'Lasse!' fet ele, 'que ferai
Et comment me conseillerai?
Lase!' fet el, 'maleüree!

84   Lasse! por quoi fui onques nee?
Dieus, com sui ore malbaillie!
Dieus, com m'a mes perres traïe
Qui m'a donee a cest vilein!

88   Cuidoie ge morir de fein?
Certes, j'oi bien el cuer la rage
Quant j'ostriai le mariage!'
Einsi cele se desconforte:

92   'Dieus, por quoi fu ma mere morte?'
    Si a ploré au lonc du jour
Que le vilein vint de labour;
Au pié sa fame se chaoeit,

96   Por Deus merci si li crioit.
'Dame,' fet il, 'por Deu merci!
Tot ce m'a fet fere anemi.
De ce que batue vos ai

100   Et de quant que mesfet vos ai
J'en sui dolenz et repentans.'
Tant li dist le vilein puans
Que cele li a pardonné;

104   Puis a a mengier demandé:
Cele l'en done a plenté
De quant qu'el a apareillié.
Couchier alerent tot en pés.

108   Au matin le vilein purnés
Ra si sa fame apareillie,
Par poi qu'il ne l'a mehaignie;
Puis s'en ala as chans arer,

112   Et cele commence a plorer.

12b

'Lasse!' fet el, 'maleüree!
Lasse! por quoi fui onques nee?
Bien sai que mau m'est avenu.

116 Dieus, fu onc mon mari batu?
Nenil, il ne set que cops sont;
S'il le seüst, por tout le mont
Il ne m'en donast mie tant.'

120　　Et quant el s'aloit dementant,
Estes vos deus serjanz le roi,
Chascun sor un grant palefroi;
Et dedenz la meson entrerent,

124 Et a disner li demanderent.
Cele lor dona volentiers,
Puis leur a dit: 'Beaus amis chiers,
Dont estes vos, ne que querez?

128 Ce me dites, se vos voulés.'
Li uns respont: 'Dame, par foi,
Nos sommes mesagier le roi,
Qui nos envoie mire querre;

132 Passer devon en Engleterre.'
'A que fere?' 'Damoisele Ade,
La fille au roi, est si malade
Il a passé uit jor entier

136 Que ne pot boivre ne mengier,
Que une areste de poison
Li aresta eul gavïon.
Li rois en iert forment iré,

140 Se il la pert, jamés n'iert lié.'
'Seignors,' fet el, 'or m'entendez:
Plus pres irez que ne quidez.
Je vos di bien que mon mari

144 Est bon mire, jel vos afi;
Certes, il set plus medecine,
Que de fisique ne d'orine,
Que ne sot onques Ipocras.'

148 'Dame, le dites vos a gas?'
'De vos gaber,' fet el, 'n'ai cure;
Mes il est de tele nature
Qu'il ne veut fere nule rien

152 S'il n'est enceis batu molt bien.'
  Cil responnent: 'Or i parra!
  Ja pour batre ne demorra.
  Dame, ou le troveron nos?'
156 'Vos le troverez a estrous,
  Quant vos istrez de ceste court,
  A un rivail qui la jus court
  Dejouste ceste vieille rue.
160 Tote la premiere charue
  Que vos troverez est la nostre.
  Alez a seint Pere l'apostre,'
  Fet ele, 'ou je vos commant.'
164 Et cil s'en vont esperonnant
  Tant que le vilein ont trové.
  De par le roi l'ont salüé,
  Puis li dïent sanz demorer
168 Qu'il vieigne au roi sans atarger.
  'A que fere?' dist le vileins.
  'Por le sens dont vos estes pleins,
  N'a si bon mire en nule terre,
172 De loing vos sommes venu querre.'
  Quant le vilein s'ot clamer mire,
  Si enbroncha un poi la chire
  Et dit n'en set ne tant ne quant.
176 'Et qu'alon donques atendant?'
  Dist l'un a l'autre. 'Bien ses tu
  Qu'il veust avant estre batu
  Que il face nul bien ne die.'
180 Li uns le fiert delés l'oïe
  Et li autre par mi le dos
  D'un baston qu'il ot grant et gros.
  Tant l'ont entr'eus deus debatu
184 Qu'a la terre l'ont abatu.
  Quant le vilein senti les cous
  Et es espaulles et eul dos,
  Bien voit le mieusdre n'est pa[s] son,
188 Ençois a dit: 'Mire sui bon;
  Por Deu merci, lessiez m'ester.'

'Or n'i a donc fors du monter,'
Font il, 'si en venez au roi.'

192   Ne quitrent autre palefroi,
Einz monterent tuit enroment
Le vilein sor une jument.

Et quant furent venu a court,
196   Li rois encontre li acourt   *12d*
Com cil qui estoit desirant
De la santé a son enfant.
Demanda lor qu'il ont trové.

200   L'un des serjanz li a conté:
'Nos vos amenon un bon mire,
Mes il est molt de pute orine.'
Lors li ont conté du vilein

204   De queus teiches il estoit plein,
Que il riens fere ne voleit
Se il enceis batu n'estoit.
Li rois respont: 'Mau mire a ci;

208   Onc mes de tel parler n'oï.
Bien soit batu, quant issi est.'
Cil responnent: 'Vez nos tot prest!
Ja si tost ne commanderez

212   Que li paieron bien ses droiz.'
Li rois le vilein apela.
'Mestre,' dist il, 'seez vos cha,
Si ferai ma fille venir,

216   Que grant mestier a de garir.'
'Certes, sire, je vos di bien
De fisique ne sai ge rien
Ne en ma vie rien n'en soi.'

220   Et dist li rois: 'Merveilles oi!
Batez le moi!' Et cil saillirent
Qui asez volentiers le firent.
Quant le vilein senti les cous

224   Sus les espaulles et el dos,
Au roi a dit: 'Sire, merci!
Je la guerrai, jel vos afi.'
Li rois respont: 'Or le lessiez;

228   Mar i sera imés touchiez.'
       La pucele fu en la sale,
       Qui molt estoit et teinte et pale,
       Que por l'areste d'un poisson
232   Avoit enflé le gavïon.
       Lors le vilein se pourpensa
       Comment garir i[l] la pourra,
       Car or set il bien que garir
236   Li convendra ou a mourir.
       'Je sai de voir s'ele rioit,
       A tot l'esforz qu'el i metroit
       L'areste s'en voleroit fors,
240   Car el n'est pas dedenz le cors.
       Tel chose m'estuet fere et dire
       Dont je la puise fere rire.'
       Au roi a dit: 'Sire, merci!
244   Or escoutez, que vos o di,
       Que vos me faciez un grant fu
       Alumer en un privé leu,
       Si n'i covendra nule gent
248   Que moi et lié tot soulement;
       Puis si verrez que je ferai,
       Car, se Deus plest, je la guerrai.'
       Li rois respont: 'Molt volentiers.'
252   Vaslet saillent et escuiers;
       Errant ont le feu alumé
       La ou li rois a commandé.
       En la sale sont, ce moi semble,
256   Le mire et la pucele ensemble.
       La damoisele au feu s'asist
       Sor un siege que l'en li mist,
       Et li vilein se despoilla,
260   Onques ses braies n'i lessa;
       Si s'est delés le feu assis
       Et s'est gratez et bien rostiz.
       Ongles ot lons et le cuir dur;
264   Il n'a home jusqu'a Saumur,
       S'il fust gratez en itel point,

13a

Qu'il ne fust molt bien mis a point.
Et quant la pucele le voit,
268 A tot le grant mal qu'el avoit
Volt rire, si s'en esforça
Que de la bouche li vola
L'areste delés le foier.
272 Et le vilein sans detrïer
Se vesti, puis a pris l'areste;
De la sale ist fesant grant feste
Ou voit le roi, si li escrie:
276 'Sire, vostre fille est garie;
Vez ci l'areste, Deus merci!'
Le roi forment s'en esjoï.
'Certes, mestre, je vos di bien
280 Que je vos aim sor tote rien.
Vos m'avez ma fille rendue;
Benoeste soit vostre venue.
Asez arez joiaus et dras.'
284 'Merci, sire, je n'en veil pas.
Je ne puis o vos demorer,
En mon païs m'estuet aler.'
'Par Dieus,' dist li rois, 'non ferois!
288 Mon mestre, et ové moi serés.'
'Merci, sire,' dist le vilein;
'En ma meson n'a point de pein;
Quant je m'en parti ier matin,
292 L'en devoit aler au molin.'
Li rois respont: 'Or i parra!
Batez le moi, si demorra!'
Cil saillirent tot enroment,
296 Si le batirent vistement,
Et le vilein prist a crïer:
'Je remeindré, lessiez m'ester!'
Le vilein est a court remés,
300 Si l'a on bien roognié et rés,
Et si ot robe d'escarlate;
Fors cuidoit estre de barate.
Quant li malade du païs,

13b

304 Dont il i ot, ce m'est avis,
Trente ou quarante, ce me semble,
Vindrent au roi trestuit ensemble,
Chascun li a conté son estre.

308 Li rois a dit au vilein: 'Mestre,
De ceste gent prenez conroi,
Fetes tost, garisiez les moi!'
Dist le vilein: 'Por Dieus, merci!

312 Trop en i a, jel vos afi.'
Li rois ses serjans en apele;
Chascun a sesi une astele,
Car chascun d'eus molt bien savoit

316 Por quoi li rois les apeloit.
Quant le vilein venir les voit
Grant paour ot, au roi disoit:
'Sire, merci! je les garré.'

320 Et dist li rois: 'Ja le verré!'
Le vilein fist demander laigne;
Asez en ot comment qu'il praigne.
En la sale alume un grant feu,

324 Il meïmes fu mestre queu;
Les malades fist arengier.
Au roi dist: 'Je vos voil proier
Que vos descendez la aval,

328 Vos et tuit cil qui n'ont nul mal.'
Li rois l'otroie bonement;
Aval s'en vet, il et sa gent.
Le vilein as malades dist:

332 'Seignors, por le Deu qui me fist,
Molt a grant peine en vos garir;
Je n'en porroie a chief venir
Fors issi com je vos dirai:

336 Tot le plus malade eslirai
Et l'ardré tot dedenz cel feu;
Vos autres i arez grant preu,
Car tuit de la poudre bevrez

340 Et enroment gari serez.'
Lors a l'un l'autre regardé;

N'i ot si contret ni enflé
Qui ostriast por Normendie
344   Qu'il eust la greignor maladie.
Le vilein a dit au premier:
'Je te voi molt afeblïer,   *13c*
De trestouz es tu le plus vein.'
348   'Mestre,' fet il, 'einz sui tot sein!'
'Va donc aval. Qu'as tu ça quis?'
Et celui saut, si a l'uis pris.
Li rois demande: 'Es tu gari?'
352   'Oïl, sire, la Deu merci,
Je sui plus sein que nule pome;
Molt est li mestre gentil home.'
Que vos iroie plus contant?
356   Onques n'i ot petit ne grant
Qui por nule rien otriast
Que le mestre el feu le jetast,
Einz s'en alerent autresi
360   Com s'il fusent trestuit gari.
Et quant li rois a ce veü,
De joie fu tot esperdu;
En la sale entre et dit: 'Beau mestre,
364   Je me merveil que ce puet estre,
Qui si tost gari les avez.'
'Sire,' dist il, 'jes ai charnez:
Je sai un charne qui mieus vaut
368   Que gengibre ne citouaut.'
'Mestre,' dist il, 'or en irez
A vostre ostel quant vos vodrez.
Asez arez dras et deniers
372   Et palefroiz et bons destriers;
Et ne vos ferez plus ferir,
Car grant honte ai de vos laidir.'
'Merci, sire,' dist li vileins.
376   'Je sui vostre lige de meins
Tot a vostre commandement.'
De la sale ist inelement,
Puis est a son ostel venu;

380   Et richement el païs fu,
       N'onques puis ne fu a charue,
       Ne puis ne fu par lui batue
       Sa fame, ainz l'ama et chieri.
384   Einsi ala com je vos di:
       Par sa fame et par sa boidie
       Fu puis bon mire sanz clergie.

XIV. SAINT PIERRE ET LE JONGLEUR

Qui de bien dire s'entremet,
N'est pas merveille s'il i met
Aucun beau dit selonc son sens.

4   Il ot un juglëor a Sens
Qui molt ert de povre riviere;
N'avoit souvent robe entiere.
Ne sai comment on l'apela,

8   Mais souvent as dez se pela.
Souvent estoit sanz sa vïele,
Et sanz chauces et sanz cotele
Si que au vent et a la bise

12   Estoit sovent en sa chemise.
Ne cuidiez pas que ge vos mente:
N'avoit pas sovent chaucemente;
Ses chauce[s] avoit forment chieres;

16   De son cors naissent les lasnieres;
Et quant a la foiz avenoit
Que il uns solerez avoit
Pertuisiez et deferretez,

20   Molt estoit grande la fiertez,
Par estoit molt de grant ator.
En la tav[er]ne ert son retor,
Et de la taverne au bordel;

24   A cez deus portoit le cenbel.
Mais ne sai que plus vos en die:
Taverne amoit et puterie,
La taverne et les dez amoit;

28   Quanqu'il avoit il despendoit;
Tozjors voloit il estre en bole
En la taverne ou en [la] houle.
Un chapelet vert en sa teste,

32   Toztens vosist que il fust feste;
Molt desirroit le dïemenche.
Onques n'ama noise ne tence;

67

En fole vie se contint.
36   Des or orroiz qui li avint.
En fol pechié mist son usaige;
Quant ot vescu tot son aaige,
Morir l'estut et trespasser.
40   Deables, qui ne velt cesser
De genz engignier et sorpranre,
Vint a la mort por l'ame panre;
Por ce qu'il est morz en pechié
44   Ne li fu mie chalangié.
Sor son col le geta errant,
Droit en enfer vint acorant.
Si compaignon par le païs
48   Avoient molt de gent conquis:
Li un aportent chanpïon,
Li autre usurier ou larron,
Vesques, prestres, moines, abez
52   Et chevalier et gent assez
Qui en vilain pechié menoient
Et en la fin pris i estoient.
Venu s'en sont droit en anfer,
56   Lor maistre truevent Lucifer.
Quant les vit venir si chargiez,
'En la foi,' fist il, 'bien viegnoiz!
Vos n'avez mie tost esté.
60   Cist seront ja mal ostelé.'
Giter les fait en la chaudiere.
'Seignor,' fait il, 'ce m'est aviere,
Vos n'estes mie tuit venu,
64   A ce que ge ai ci veü.'
'Si somes, sire, fors un seul,
Un chaitif, un maleürous
Qui ne sait le siecle engignier,
68   Si ne set ames gaaignier.'
Atant voient celui venir
Qui aportoit, tot a loisir,
Desus son col le juglëor,
72   Qui molt estoit de povre ator—
En enfer est entrez toz nuz.

45^e

Le juglëor a geté jus;
Le maistre l'en araisona.

76 'Diva,' fait il, 'comment t'esta?
Es tu ribauz, traïstre ou lerres?'
'Sire, nenil, ainz sui juglerres.
Avuec moi ai trestot l'avoir

80 Que li cors selt au siecle avoir;
Li cors soffri mainte froidure,
Mainte parole laide et dure;
Or sui ça dedenz ostelez,

84 Si chanterai se vos volez.'
'Amis, de chanter n'ai que faire,
Que d'autre arc vos covenra traire;
Mais, por ce qu[e tu] es si nuz

88 Et si tres povrement vestuz,
Feras le feu soz la chaudiere.'
'Volentiers,' fait il, 'par seint Pierre,
Quar de chaufer ai ge mestier.'

92 Atant s'est assis au foier,
Si fait le feu delivrement
Et chaufe tot a son talent.
  Un jor avint que li maufé

96 Estoient trestuit assanblé;
D'anfer oissirent por conquerre
Les ames par tote la terre.
Li maistres vint au juglëor,

100 Qui le feu fait et nuit et jor.
'Jouglerres,' fait il, 'or m'escoute!
Ge te commant ma gent trestote;
Garde mes ames sor le[s] elz,

104 Que ges te creveroie endeus
Se en perdoies une soule—
Ge te pendroie par la goule.'
'Sire,' fait il, 'alez vos ent!

108 Ge les garderai lealment,
Trestot au mielz que ge porrai:
Tote[s] voz ames vos rendrai.'
'Amis, sor ce les te recroi,

112 Mais ce saiches tu bien, par foi,

45f

Se tu une seule en perdoie,
Lués trestot vif te mangeroie.
Mais ce saiches tu, sanz mentir,
116   Quant nos revenron a loisir,
Ge te ferai molt bien servir
D'un gras moine sor un rotir
A la sauxe d'un usurier
120   Ou a la sauxe d'un hoilier.'
Atant s'en vont et cil remaint,
Qui du feu faire ne se faint;
En enfer est remés toz seus.
124   Seignor, un petit m'entendez
Comment seint Pierres esploita.
En enfer tot droit s'en ala,
Molt estoit bien apareilliez:
128   Barbe longue, grenons treciez.
En enfer entre tot secrez,
Un bellanc i porte et trois dez;
Delez le jougléor s'assist
132   Trestot soëf et puis li dist:
'Amis,' fait il, 'vels tu joër?
Voiz quel bellenc por dez geter!
Et si aport trois dez plenier.
136   Tu puez bien a moi gaaignier
Bons esterlins priveement.'
Lors li mostre delivrement
La borse ou li esterlin sont.
140   'Sire,' li jouglerres respont,
'Laissiez m'en pais, alez vos ent!
Certes, ge n'ai gote d'argent;
Ge vos jur Dieu, tot sanz faintise,
144   Que n'ai el mont que ma chemise.'
Et dit seint Pierres: 'Beaus amis,
Met des ames ou cinc ou sis.'
Dit li jouglerres: 'N'oseroie,
148   Que se une seule en perdoie,
Mes maistres me ledengeroit
Ou trestout vif me mangeroit.'
Dit seint Pierre: 'Qui li dira?

46a

152 Ja por vint ames n'i parra.
   Voiz ci l'argent, qui est toz fins;
   Voiz, gaaigne cez esterlins,
   Qui sont toz forgiez de novel;
156 Ge t'en doig a cent sous fardel.'
   Quant cil vit qu'i[l] en i a tant,
   Sachiez molt li vint a talent.
   Les dez prist, si les manoia;
160 Les esterlins molt covoita,
   Et dist a seint Pierre a droiture:
   'Joöns, or soit en aventure
   Une ame au cop tot a eschars.'
164 'Mais deus!' fait il, 'Trop es coars!
   Et qui bon a, si l'envit d'une,
   Moi ne chaut s'ele est blanche ou brune.'
   Dit li jougleres: 'Ge l'otri.'
168 Et dit seint Pierres: 'Ge l'envi.'
   'Avant le cop,' fait il, 'deable!
   Metez donc l'argent sor la table.'
   'Volentiers,' fait il, 'en non Dieu.'
172 Lors met les esterlins au geu,
   Si s'assieent au tremerel
   Il et seint Pierre au fornel.
   'Gete, jogleres!' dit seint Pierres,
176 'Que tu as molt les meins manieres.'
   Cil a geté, qui qu'il anuit;
   Et dit seint Pierre: 'Ge ai uit;
   Se tu gietes aprés hasart,
180 J'avrai trois ames a ma part.'
   Cil giete trois et deus et as;
   Et dit seint Pierre: 'Perdu l'as.'
   'Voire,' fait il, 'ge sui honiz!
184 Cez trois avant, si vaille sis!'
   Et dit seint Pierre: 'Gel creant.'
   Lors a geté tot maintenant
   Dis e set poinz a cele voie;
188 'Tu me doiz nuef, or croist ma joie.'
   'Voire,' fait il, 'tot ai perdu.
   Se ge l'envi, tenras le tu?'

'Oïl,' dit seint Pierre, 'par foi!'
192   'Cez nuef avant que ge te doi,
Puis vaille doze qui qui l'ait.'   46b
'Dahez,' dit seint Pierre, 'qui lait!'
Di[t] li joglerres: 'Or getez!'
196   'Volentiers,' fait il. 'Esgardez!
Ge voi hasart; si com ge cuit,
Tu me doiz trois et dis e uit.'
'Voire,' fait il, 'par les elz beu,
200   Il n'avint onques mais de gieu!
Par la foi que vos me devez,
Joëz me vos de quatre dez?
Ou vos me joëz de mespoinz.
204   Or vueil ge joër a plus poinz.'
'Amis, de par le seint Espir,
Tot ton voloir vuel acomplir;
Or soit ainsi comme tu vels.
208   Sera ce a un cop ou a deus?'
'A un cop soit huimais adés:
Vint un avant et tant aprés.'
Et dit seint Pierre: 'Dieus m'aïst!'
212   Lors a geté sanz contredit:
Quinze poinz giete et si se vante
Qu'il le fera valoir soissante
Dit li joglerres: 'Ge l'otroi!
216   Ge giet aprés ce orendroit.'
Lors a geté par le bellenc.
'Cist cous ne valt pas un mellenc,'
Dist seint Pierre; 'perdu l'avez,
220   Que ge voi sines en deus dez.
Huimais n'iere ge trop destrois:
Vos me devez soissante e trois.'
'Voire,' fait il, 'si m'aïst Dieus,
224   A duel me tornera cist gieus.
Par toz les sainz qui sont a Rome,
Ge n'en croiroie vos ne home
Que vos nes asseoiz toz cous.'
228   'Getez aval! Estes vos fous?'
'Ge cuit que fustes molt fort lerres

Qui encor estes si guilerres;
Encor ne vos poëz tenir
232 De dez changier et asseïr.'
Seint Pierre l'ot, forment s'aïre,
Par maltalent li prist a dire:
'Vos i mentez, se Dieus me salt;
236 Mais costume est de tel ribalt,
Quant on ne fait sa volenté,
Si dit c'on li assiet le dé.
Mal dahaiz qui sus le me mist,
240 Et mal dahez qui les assist!
Molt a en vos mauvais gloton
Quant vos me tenez por larron;
Si s'en faut poi, par seint Michiel,
244 Que ge ne vos doig sus le chief!'
'Certes,' fait cil, qui de duel art,
'Liere estes vos, sire viellart,
Qui noz ames volez trichier.
248 Ja voir n'en porteroiz denier!
Ba! non! que vos les me toldrez:
Venez avant, si les prenez
Savoir se il vos remenroient—
252 Par ceste teste non feroient!'
Et cil saut por les deniers pranre,
Et seint Pierre, sanz plus atendre,
Le vos aert par les illiers,
256 Et il lait chaoir les deniers,
Si l'a par la barbe saisi,
Que molt avoit le cuer marri,
Roidement a lui le tira,
260 Et seint Pierre li descira
Sa chemise jusqu'au brael.
Or n'ot il onques mais tel duel
Quant il voit sa cheveceüre
264 Passer jusc'outre sa ceinture.
Molt par ont entr'aus deüs luitié,
Feru, bouté et desachié;
Li uns saiche, li autres tire,
268 La robe au juglëor descire.

46c

Iluec voit li joglierres bien
Que sa force ne li valt rien,
Quar il n'est si forz ne si granz
272   Com seint Pierre, ne si poissanz;
Et s'il maintient si la mellee,
Sa robe ert ja si desciree
Qu'il n'en porra joïr ja mais.
276   'Sire,' fait il, 'or faison pais.
Bien nos somes entressaié,
Or rejoöns par amistié
S'a gré vos vient et a talent.'
280   Dit seint Pierre: 'Molt m'atalent,
Que vos ainz du gieu me blasmastes
Et que vos larron m'apelastes.'
'Sire, ge dis grant vilenie;
284   Or me repent de ma folie.
Pis me feïstes vos assez
Qui mes dras m'avez descirez,
Donc ge [se]rai molt soffroitous.
288   Or me clamez quite, et ge vos.'
Et dit seint Pierre: 'Ge l'otri.'
Adonc s'acorderent ainsi.
      Seint Pierres dit: 'Or m'escoutez:
292   Soissante e trois ames devez.'
'Voire,' fait il, 'par seint Germain,
Ge commençai le [gieu] trop main.
Sire, joöns, s'a bel vos vient;
296   Ou soient sis vinz ou nïent.'
'Ge le ferai par tel couvent
Que tu me feras ensement.'
Li joglerres dit: 'N'en doutez
300   Que ja vos i soit deveez.'
'Or me di donc, beaus amis chiers,
Paieras me tu volentiers?'
'Oïl,' dit il sanz maltalent.
304   'Pranez ames a vo talent:
Chevaliers, dames, ou chanoines.
Volez chanpïons, larrons, moines,
Volez cortois, volez vilains,

46d

308   Volez princes ou chastelains?'
      Dist seint Pierre: 'Tu diz raison.'
      'Or giete avant sanz mesprison.'
      Seint Pierre n'ot a cele voie
312   Que cinq et quatre et un seul troie.
      Dit li joglerres: 'Doze i voi.'
      'Avoi!' dit seint Pierres, 'avoi!
      Se Dieus nen a de moi merci,
316   Cist deerrain gieus m'a trahi.'
      Li joglerres gita avant
      Quines et un dels puerement.
      'Dieus!' dist seint Pierre, 'bon encontre!
320   Encore vaura cest rencontre.
      Doze vinz vaille, fiere ou faille.'
      Li joglerres dit: 'Bien les vaille,
      Tous les doze vinz vaille bien.
324   Getez, de par seint Julïen!'
      Seint Pierre giete isnelepas
      Signes en deus et el tierz as.
      'Compainz,' fait il, 'j'ai bien geté,
328   Quar ge vos ai d'un point passé.'
      'Voiz,' fait il, 'com il m'a pres point
      Qui m'a passé d'un tot seul point.
      Dieus, com ge sui maleüreus,
332   C'onques ne fui aventureus,
      Et sui tozjors molt mescheans
      Et ci et au siecle vivans.'
      Quant les ames qui sont el fu
336   Ont bien oï et entendu
      Que seint Pierres ot gaaignié,
      De totes parz li ont huchié:
      'Sire, por Dieu le glorïous,
340   Nos atendomes tuit a vos.'
      Et dit seint Pierre: 'Ge l'otri,
      Et ge a vos et vos a mi;
      Por vos giter de cest torment
344   Mis ge au gieu tot mon argent;
      S'eüsse mon argent perdu,
      Nïent eüssiez atendu.

Se ge puis, ainz la nuiz serie,
348   Seroiz toz en ma compaignie.'
Adonc fu li joglerres mus.
'Sire,' fait il, 'or n'i a plus:
Ou ge du tot m'aquiterai,
352   Ou ge trestot parperderai
Et les ames et ma chemise.'
Ne sai que plus vos en devise:
Tant a seint Pierre tremelé,
356   Tant a le joglëor mené,
Que les ames gaaigna totes;
D'enfer les gita a granz routes
Si s'en revait en paradis;
360   Et cil remest toz esmaris
Qui durement fu esperduz.
Ez vos les maufez revenuz.
Li maistres entre en sa maison
364   Et garde entor et environ;
N'i voit ame n'avant n'arriere,
Ne en fornel, ne en chaudiere.
Le joglëor a apelé.
368   'Vassal,' fait il, 'com as ouvré
Des ames que ge te laissai?'   46f
'Sire,' fait il, 'ge vos dirai.
Por Dieu, aiez de moi merci!
372   Uns vielz hons vint çaienz a mi
Qui aporta molt grant avoir;
Ge le quidai molt bien avoir,
Et joasmes e moi et lui,
376   Si me torna a grant anui.
Si me gita d'un dez toz faus
Li traïstres, li desloiaus,
Ainc n'en ting dez, foi que doi vos,
380   Si ai perdu vos genz trestoz.'
Quant li maistres l'a entendu,
Par poi ne l'a gité el fu.
'Filz a putain, lierres trichierres,
384   Voz jogleries sont trop chieres!
Honi soit vostre joglerie

Dont j'ai perdue ma mesnie!
Et qui çaienz vos aporta,
388   Par seint Pol, il le comparra'
Au malfé en vienent tot droit
Qui celui aporté avoit;
Tant le batent, froissent et fierent,
392   Et tant forment le lesdengierent,
Et si li ont fait fiancier
Que jamais ribaut ne holier
Ne joglëor n'aportera,
396   N'ome qui a dez joëra.
Tant l'ont batu et chevelé
Que cil le lor a creanté
Et dit que ja mais a nul jor
400   N'i aportera joglëor.
Li maitres vint au menestrel.
'Vassal,' dit il, 'vuidiez l'ostel,
Vuidiez l'ostel, gel vos commant;
404   Ge n'ai cure de tel sergant.
Ja mais joglëor ne querrai
Ne lor ligniee ne tenrai;
Ge n'en vueil nul, voisent lor voie,
408   Mais Dieus les ait qui aime joie.
Vuidiez l'ostel! De vos n'ai cure!'
Et cil s'en fuit grant aleüre
Qui d'enfer en chacent tirant,
412   Vers paradis vint acorant.
Quant seint Pierre le vit venir,   47ᵃ
Si li corust la porte ouvrir;
Cil entre enz, or est a garant.
416   Adonc retornent li tirant.
    Or faites feste, joglëor,
Ribaut, houlier et joëor,
Que cil vos a bien aquitez
420   Qui les ames perdi as dez.

XV. DU CHEVALIER QUI RECOVRA L'AMOR
DE SA DAME

160c

Sanz plus longuemant deslaier,
M'estuet conter d'un chevalier
Et d'une dame l'avanture,

4   Qui avint, ce dit l'escriture,
N'a pas lonc tans en Normandie.
Cil chevaliers voloit s'amie
Faire d'une dame; et grant poine

8   Sofroit por li qu'el fust certaine
Que il l'amoit, car il faisoit
Totes les choses qu'i[l] savoit
Q'a la dame deüssient plaire.

12   Je ne voil pas lonc conte faire:
Cil chevaliers tant la requist
Que la dame a raison lo mist
Un jor, et li demande et quiert

16   De quel aconte il la requiert
D'amor, qant il jor de sa vie
Ne fist por li chevalerie
Ne proëce qui li plaüst,

20   Par quoi s'amor avoir deüst.
Si li dist en riant, sanz ire,
Que de s'amor n'iert il ja sire
Desi que sache san dotance

24   Commant il porte escu ne lance,
Et s'il en set venir a chief.
'Ma dame, ne vos soit donc grief,'
Fait li chevaliers, 'mais otroi

28   Me donez de prandre un tornoi
Contre vostre seignor, et soit
Devant sa porte en tel endroit
Que vos veoiz apertemant

32   Par trestot lo tornoiemant;
Lors si verroiz, se il vos siet,

160d

Comme lance et escuz me siet.'
La dame, sanz nul deslaier,
36   Lo congié done au chevalier
De prandre lo tornoiemant.
Il l'an mercie boenemant.
De maintenant, sanz plus atandre,
40   En vait lo tornoiemant prandre.
Ez vos que li tornoiz est pris.
Puis ont as chevaliers de pris
Mandé et proié qu'il i soient.
44   Ensi par lo païs envoient,
Ne jusq'au terme ne finerent,
Car molt entalanté en erent;
Et bien mandent lo jor et l'ore
48   As chevaliers tot sanz demore;
Et vindrent granz tropiaus ensanble.
   Ez vos que li tornoiz asanble
Et granz et orgoilleus et fiers!
52   Car qui veïst cez chevaliers,
Qant ore fu de tornoier,
Haubers vestir, hiaumes lacer!
Tost fu chascuns prest endroit soi.
56   Li dui qui pristrent lo tornoi
En la place furent premiers
Armé sor les coranz destriers
Tuit prest de lances depecier.
60   Lors saillent sus sanz delaier;
Les escuz joinz, les lances baissent,
Lachent les regnes, si s'eslaissent,   161a
Noblemant es estriers s'afichent;
64   Les lances brisent et esclicent,
Onques de rien ne s'espargnerent;
Des espees lo chaple ferent,
Chascuns au mialz que il savoit.
68   Li chevaliers qui pris avoit
Lo tornoi et juré par s'ame
Envers lo seignor a la dame
Que il voldra a lui joster
72   Par tans, cui qu'i[l] doie coster,

Lores s'eslaisse cele part
Plus tost que foille qui depart
D'arc, qant ele est bien entesee;
76   Jus l'an porte lance levee;
Nel pot tenir poitraus ne cengle,
Tot chaï en un mont ensanble.
Et qant la dame a ce veü,
80   Q'a son seignor est mescheü,
D'une partie en fu dolante,
De l'autre molt li atalante
Que ses amis l'a si bien fait.

84   Que vos feroie plus lonc plait?
Molt avoient bien commancié
A tornoier tuit, qant pechié
Lor corut sor et encombrier,
88   Que mort i ot un chevalier.
Je ne sai pas dire raison
Conmant fu morz ne l'achoison,
Mais tuit en furent mat et morne;   *161b*
92   Lors l'anfoïrent soz un orme.
Aprés, por ce qu'il estoit tart,
Li tornoiemanz se depart;
Puis va chascuns son ostel prandre.
96   Et la dame, sanz plus atandre,
Par un garz mande au chevalier
Que, si com il vialt qu'el l'ait chier
Ne ja por son ami lo taigne,
100   Q'a li parler cele nuit veigne.
Cil, qui fu liez del mandemant,
Dit qu'il ira molt boenemant.
'Por trestot estre detranchiez
104   Ne sera il,' ce dit, 'laissié.'
Atant li garz de lui depart.
    Qant la nuit vint, molt li fu tart
Qu'il fust la o aler devoit.
108   Une pucele se prenoit
Totjorz garde de sa venue.
Qant il vint la, si la salue;
A grant pëor et a grant poine

112   Dedanz une chambre l'an moine;
       Iluec li dit que il se taigne
       Desi que sa dame a lui veigne.
       Atant s'an torne la pucele;
116   A sa dame dit la novele
       Del chevalier et qu'il estoit
       En la chambre, o il atandoit.
       'Diz me tu voir?' 'Oïl, par m'ame.'
120   'Et g'irai ja,' ce dit la dame,
       'Qant mes sires sera cochiez.'   *161c*
       Au chevalier a ennoié
       De ce qu'el met tant a venir,
124   Si ne se puet plus atenir
       Que endormiz ne soit cochiez,
       Car il estoit molt traveilliez
       Des armes c'ot porté lo jor.
128   Et la dame, qui ot pëor
       De ce que tardié avoit tant,
       A lui en vient tot maintenant.
       Lors esgarde qu'il dort sanz dote;
132   Ele no hurte ne ne bote,
       Mais maintenant s'an va ariere,
       Si apela sa chamberiere.
       'Va tost,' fait ele, 'sanz tardier,
136   Si me di a cel chevalier
       Que il s'an aille vistemant.'
       La pucele fu en demant
       Por quoi s'estoit et la raison.
140   'Je t'an dirai bien l'achoison,'
       Fait la dame: 'por ce qu'i[l] dort.'
       'Par l'ame Deu vos avez tort,'
       Fait la meschine, 'ce me sanble.'
144   'Tu manz, garce! Trestot ensanble
       Deüst il bien la nuit veillier
       Por solemant un sol baisier
       D'une tel dame com je sui.
148   Por ce si me torne a enui,
       Car je sai bien, se il m'amast,
       Por cent livres qui li donast

N'an feïst il mie autretant.   *161d*

152   Va, sel congee maintenant.'
          Atant s'an torne la meschine,
       Desi qu'au chevalier ne fine
       Qui se dormoit desus son coude.

156   Ele vait avant, si lo bote.
       Cil sailli maintenant en piez:
       'Or ça, ma dame, bien veigniez!
       Molt avez fait grant demoree.'

160   'Por noiant m'avez salüee,
       Danz chevaliers,' fait la pucele.
       'Par tans oroiz autre novele.
       Ma dàme m'a ci envoiee,

164   Qui lez son seignor s'est cochiee,
       Si vos mande que ne soiez
       Si hardiz ne si envoisiez
       Que vos ja mais en nul endroit

168   Veigniez en leu o ele soit.'
       'Avoi! damoisele, por quoi?
       Dites lo moi.' 'Et je l'otroi:
       Por ce que pas ne deüssiez

172   Dormir en leu o vos fussiez
       Por si tres noble dame atandre,
       Si bele et si blanche et si tandre
       Et s[i] vaillant com est ma dame.'

176   'Damoisele,' fait il, 'par m'ame,
       J'an ai mesfait, c'est verité,
       Mais je [vos] pri en cherité
       Que je de vos aie congié

180   D'aler la o il sont cochié   *162a*
       Entre ma dame et son seignor,
       Car sachiez bien c'onques graignor
       Talant n'oi mais de faire rien.'

184   'Tot ice vos otroi je bien
       En moie foi,' fait la pucele.
          Cil, qui fu liez de la novele,
       Sanz faire nule demorance,

188   Tantost en la chambre se lance—
       Il n'ot pas es jarrez lo chancre.

Une lanpe avoit en la chambre:
Par costume ardoir i siaut.

192 Li chevaliers sa voie aquialt,
Tot droit au lit en est venuz;
Un poi en loin s'estoit tenuz,
Et tint s'espee tote nue.

196 Li sire, por la grant veüe
Ovre les iauz, si l'aperçoit;
Li chevaliers ne se movoit.
'Qui estes vos,' fait se il, 'la?'

200 Li chevaliers tantost parla,
Qui n'ot cure de l'atargier.
'Je sui,' fait il, 'lo chevalier
Qui jehui matin fu mort—

204 Bien en poëz avoir recort—
Si sui je bien.' 'Et qui vos moine?'
'Sire, je sui en molt grant poine,
Ne jamais jor n'en istra m'ame

208 De ci a tant que cele dame
Qui o vos gist pardoné m'ait,
Se il li plaist, un sol mesfait
Que je li fis con je vivoie.   *162b*

212 Que Deus des ciaus enor et joie
Et de ses biens assez vos doint!
Proiez qu'ele lo me pardoint,
Car je vos ai dit la raison

216 Por quoi vin ci et l'achoison.'
'Dame, dame,' fait se li sire,
'Se avez mautalant ne ire
Ne coroz vers ce chevalier,

220 Pardonez li, jo vos requier
. . . .'
'N'en ferai rien,' ce dit la dame.
'En vain debatez vostre teste,

224 Car s'est fantome o autre beste
Qui nos afole tote nuit.'
'Certes non est, si com je cuit.'
'Non fais je, sire, sanz dotance;

228 J'ai,' fait li chevaliers, 'creance

En Damedeu et en sa mere.'
'Par la foi que devez saint Pere,
Dan chevaliers,' fait ce li sire,
232 'Don vient cist coroz et ceste ire
Que vers vos a la dame enprise?'
'Sire, certes en nule guise,'
Fait li chevaliers, 'nel diroie,
236 Car se j'ai mal, et pis avroie
Se j'an avoie mot soné.'
'Certes, or vos iert pardoné,'
Fait la dame. 'Dan chevalier,
240 Ne vos voil or plus traveillier.'
'Vostre merci, ma doce amie,
Car plus ne vos demant je mie.'

1620

Or s'an vait cil sanz arestee;
244 Bien a sa besoigne atornee,
Mais s'il n'aüst ensin ovré
Il n'aüst jamais recovré
L'amor qu'il ot tot de novel.
248   Pierres d'Anfol, qui ce fablel
Fist et trova premieremant,
No fist fors por enseignemant
A cez qui parler en feroient
252 Se tele avanture trovoient;
Car nus ne l'ot qui n'an amant,
Se mauveistiez trop ne sorprant.

NOTES

The bibliographical indications in the Notes are not exhaustive. References to editions, translations, and adaptations of the fabliaux previous to Montaiglon and Raynaud's edition are to be found in the notes to the latter (MR), in the article in the *Histoire Littéraire de la France* (HLF), Vol. XXIII, and in Appendix II to Bédier's *Fabliaux* (Bédier).

I. D'UN PREUDOME QUI RESCOLT SON COMPERE DE NOIER

MS. B.N. fr. 19152 fo. 35f–36a. (B)

A. Micha, in his article 'À propos d'un fabliau', *Le Moyen Age* LV (1949), pp. 17–20, sees this fabliau as an adaptation of the fifth *exemplum* in either Petrus Alphonsi's *Disciplina clericalis* or the Old French version of it, the *Castoiement d'un pere a son fils*. Petrus Alphonsi was a Spanish Jew baptized into the Christian faith in 1106, some time before he wrote his *Disciplina clericalis*, for much of which he claims in his Prologue to have used Arabic sources. The work was translated into French at the end of the twelfth century and again some hundred years later.[1] The story in question tells how a countryman sets free a snake which he finds attached to a post, whereupon the snake coils itself about its rescuer. A fox, called upon to arbitrate, gives a judgment similar to the fool's in the fabliau. Several of the stories in the *Disciplina clericalis* show judgments of this type. The wise fool is a commonplace in medieval literature; and cf. Ch. XXXVII of Rabelais's *Tiers Livre*, where Pantagruel persuades Panurge to take counsel of a fool.

Editions: MR I, 27; *Recueil . . .* (Gillequin), pp. 84–6.

See also: MR II, p. 307; Faral, *Le Manuscrit 19152*, p. 21.

Title. *Compere* as well as having its technical meaning 'godfather' was used to denote one friend linked to another by particular bonds of friendship, and, more loosely still, had the sense of 'fellow, man'. *Son compere* therefore means little more than 'a man', or 'his fellow-man'.

9 *li=le li.*

12 *Laissa atendre* B. We read *l. a tendre* (and for this construction cf. Beroul, l. 1524) in the sense of modern French *laisser de*='desist, cease from, leave off'. The alternative is to leave the word undivided as in the MS., but this gives an identical rhyme with l. 11.

23 The mayor, as the chief local judicial authority, dispensed justice with

[1] The *Disciplina Clericalis* is edited by A. Hilka and W. Söderhjelm (Sammlung mittellateinischer Texte I), Heidelberg, 1911; the French texts are published together with the Latin in the *Acta Soc. Scient. Fennicae*, Vols, XXXVIII (4–5) and XLIX (4), Helsingfors, 1911–12 and 1922.

the aid of a jury. Other types of medieval justice play a part in Fabliaux
X and XI.

24 'And he appoints a day for hearing the case.'

30 In view of the time that has passed (see ll. 13–26) the numeral *tierz*
can hardly be justified.

42 *nel quier noier.* The neuter pronoun refers to the action stated in l. 43.
69–71 Proverb. Cf. Morawski, Nos. 1048 and 1088.

72 One line of the original couplet rhyming in -*a* has been lost. Méon,
followed by Montaiglon, conjecturally supplies *Ains à tousjours vous haïra.*

74 *mauvais* seems to be a copyist's error induced by the preceding line.
Corr. *autrui?*

II. DU VILAIN ASNIER

MS. B.N. fr. 19152 fo. 56a–c. (B)
Although the theme of this fabliau appears in Eastern literature, its oriental
origin cannot be proved (see Bédier, pp. 146 and 474–5). The story seems
to have been widely known in the Middle Ages. It is quoted at the end of a
partial translation into French of the *Song of Songs* (J. Bonnard, *Les Traductions
de la Bible en vers français au moyen âge*, Paris, 1884, pp. 157–8), which Bonnard
dates somewhat hazardously towards the end of the twelfth century; at the
beginning of the following century Jacques de Vitry uses it in one of his
Latin sermons (No. 191); and an Italian manuscript of the early fourteenth
century includes it in a collection of *exempla* (*Romania* XIII, 1884, p. 55).

Edition: MR V, 114.

See also: MR V, p. 305; *HLF*, Vol. XXIII, p. 206; Bédier, pp. 474–5;
Faral, *Le Manuscrit 19152*, pp. 29–30.

———

11 Montpellier's reputation for its spices and perfumes continued into
modern times. The author's choice of this town as the setting for his story
is not mere caprice.

25 *nel*] *nes* B. The scribe first wrote *selenne lē*; then he expunctuated *lē*
and added an -*s* above the line to *selenne*, apparently forgetting that he was
writing a remark of general import concerning a donkey and making it
refer to *li asne*, l. 22. A similar confusion at some stage between general and
specific might account for the imperfect tense *semonoit*, which would be
normal if the sense intended were 'the donkeys were not in the habit of
advancing unless continually shouted at by their driver' (see l. 9).

30–1 The construction *voloir a* is remarkable, but this is undoubtedly
what the scribe wrote. Any correction would be arbitrary and would involve
either finding a verb to replace *voloir*, or replacing *a* by some suitable syllable
somewhere in l. 31.

32 The would-be healer is asking if anyone in the crowd (l. 30) will pay
to have the ass-driver revived; *du son*='some of his (money)'.

49 *ne s. ne m.*] *7 sens 7 mesure* B. We adopt MR's correction.

50 The precise application of this moral to the ass-driver is difficult to see.

III. ESTULA

MSS. B.N. fr. 837 fo. 227d–228c. (A)
　　B.N. fr. 19152 fo. 51b–51e. (B)
　　Berne 354 fo. 116b–117b. (C)
We have taken C as the basis of our edition.

Based on a simple pun, Estula as the name of a dog and *Es-tu là?*, the plot shows the underlying amorality of many of the fabliaux. Much as we may sympathize with the two poverty-stricken brothers, the fact remains that their crime is shown to have paid in the end, and the concluding 'moral' does nothing to correct the impression.

Editions (all based on A): MR IV, 96; L. Constans, *Chrestomathie de l'ancien français*, Paris, 1890, pp. 162–4; G. Paris and E. Langlois, *Chrestomathie du moyen âge*, Paris, 1897, pp. 153–60; *Recueil* . . . (Gillequin), pp. 24–7.

See also: MR IV, pp. 241 and 245–6; *HLF*, Vol. XXIII, pp. 184–5; Faral, *Le Manuscrit 19152*, pp. 25–6.

———

A has the title *La fable destula* added in a later medieval hand. B in the introductory rubric gives, by mistake, the title of the next fabliau *Del conuoiteus et del enuieus* (a later hand gives as a footnote to the column *Estula ou les deux freres pauvres*) but correctly writes at the end *Explicit des .ii. freres poures.*

1 *estoient* A, *se furent* B, *furent* C (-1 syllable).

5 *en lor c.*] *en* in AB, not in C, which has *lor conpeignie* with *i* expunctuated.

21 *Cil fust poure se il fust fox* B, *Cil sont poure. li riches fols* A. In no MS. is the sense of this line thoroughly satisfactory; C's reading ('If he were poor, he would be (*or* would have been) a fool') is strongly supported by B.

27 *L'autres* AB] *Li autres* C.

30 'No matter whom it grieves and harms.'

33 *tant fait qu'il* AB] *tant que il* C.

35 *grax.* -*x*, which we have normally expanded to -*us*, here seems to be merely a variant for final -*s*, cf. *costiaux*, l. 104. A has *cras*, B *gras*.

39–44 These lines of C are represented by eight in B and ten in A, as follows:

B	A
Li uileins apele son filz	Li preudom apela son fil
Va fait il dedenz le cortill	Va veoir dist il el cortil
	Que il ni ait rien se bien non
Sapele le chien en maison	Apele le chien de meson
Estula li chiens ot a non	Estula auoit non li chiens
	Mes de tant lor auint il biens
Nauoit meillor en nule cort	Que la nuit nert mie en la cort
Et li uarlez prannoit escout	Et li valles prenoit escout
Luis deuers la cort ouert a	Luis deuers la cort ouuert a
Si hucha son chien estula	Et crie estula estula

41 C has *Si apele estula maison.* If there is a hiatus between *Si* and *apele*, the line can be made to scan and give a good sense by reading *Estul' a maison* as is done in MR IV, p. 243. But this elision of a tonic vowel is unlikely. We prefer to read *S'apele* (cf. *Li autres=L'autres*, l. 27) and supply the preposition *a* before *maison*.

H

48 *il*=the son; the enclitic pronoun in *nel* refers to the brother in the sheep-fold, anticipating l. 49.

49 *qui* AB] *quil* C.

75 C repeats *a l'ostel* in error. In *a preste (au prestre* AB) *a=al* with loss, instead of vocalization, of preconsonantal *l*, unless the absence of the def. art. from this possessive phrase is a matter of syntax. The loss of *-r-* in orthography (cf. ll. 71, 82, etc.) may also represent its loss from pronunci-ation giving the rhyme *preste : este*, ll. 75–6.

100 *je devoie*] *se deuoie* C.

109–11 'He jumped down from the neck of that person (=the son) who was no less fooled than he (=the priest) who straightway fled.'

En avoir 'be fooled, duped' is attested later in Brantôme, see Huguet, *Dictionnaire de la langue française du 16e. siècle*, under *Avoir*. This satisfactory *lectio difficilior* is replaced in B by

> Sailli est iuus du col celui
> Qui ne nest mie mains delui
>> (= 'who is no less concerned about it than he is')

and in A by

> Du col celui est ius saillis
> Si sen fuit trestoz esmaris.

131 The spelling *prest*, necessary for the rhyme, is that of A. B reads *Vers lor ostel qui pres lor est*.

137–8 Proverbs. Morawski, Nos. 679 and 2368. AB add two further lines:

> Et tels est au soir (*mein* B) *corouciez*
> Qui au main (*soir* B) est ioianz et liez.

IV. BRIFAUT

MS. Berne 354 fo. 9c–10b. (C)

This fabliau, which was probably written in Picardy or Artois (Bédier, p. 437), shows some incoherence towards the end, where it seems that the *femme contrarieuse* theme may have been grafted on to the main episode of the theft of the cloth. In any case, the moral seems clumsily contrived.

Editions: MR IV, 103; Constans, *Chrestomathie*, pp. 164–5.

See also: MR IV, p. 278; *HLF*, Vol. XXIII, p. 209; Bédier, p. 451.

---

3 The MS. does not use capital letters for place-names and *alanz* is written in one word. It is so printed in MR and Constans, who presumably take it to be the pres. part. of *aler*.

7–11 'In this connection I say, and I may be foolish or simple, that a man (i.e. a rich man) in whom one thinks there is much knowledge and whom one would consider an arrant fool if he were poor and destitute, is not in fact well endowed with good sense.'

25 We take *qeust* to be an analogical apophonous ind. pr. 3 of *coudre*. MR and Constans print the MS. reading *la qeust* as *l'aqueust* and connect the verb with *accueillir*.

35 *Dont* may be for *donc*='then' as in l. 51, or rel. pron. = 'on account of which'. The meaning of the rest of the line 'there was in him nothing but anger' is not affected.

42 The implication is that as the thief turned round he thought to himself: 'The man is a fool'.

71 For this verb, apparently derived from the proper name (cf. *pateliner* and *tartuffier*), the meaning has to be ascertained from the context. It occurs nowhere else.

79 Seeing that Brifaut's tale is in fact true, it seems unjust and unfitting that he should be struck dead. Perhaps, however, this is the result of his stupidity in ll. 64-5, when he admits that he deserves severe punishment. The whole of this conclusion, including the wife's madness, is out of scale.

V. DES TROIS BOÇUS

MS. B.N. fr. 837, fo. 238c-240a. (A)

The macabre sense of humour displayed in this tale is typical of one group of fabliaux.[1] There is here no trace of sympathy for the deformed minstrels, whose death was quite unmerited, or for the husband, whose only vice was jealousy. This callous mocking of infirmity, seen also in the *Trois Avugles de Compiengne* (MR I, 4), was one of the less pleasing characteristics of medieval social behaviour, and the plea that the story may have originated in the East is no real defence. Bédier's sceptical attitude towards its Eastern derivation is not universally shared, and scholars such as Pillet and Suchier have made a plausible case for the theory of oriental origins. This rests primarily on the presence of a very similar story in the *Mischle Sendabar* (a thirteenth-century Hebrew version of the *Story of the Seven Sages*), and on the occurrence elsewhere in Eastern literature of the features of the hunchback entertainers and of the laborious disposal of the corpses.

Edition: MR I, 2.

See also: MR II, pp. 275-6, and IV, pp. 232-3; *HLF*, Vol. XXIII, pp. 165-6; Bédier, pp. 236-50; A. Pillet, *Das Fableau von den Trois bossus ménestrels und verwandte Erzählungen früher und später Zeit*, Halle, 1901; Idem, 'Ueber den gegenwärtigen Stand der Fableaux-Forschung', *Neuphilologisches Centralblatt* 17, 1904, pp. 98-104; W. Suchier, 'Fablelstudien', *Zeitschrift für romanische Philologie* XLII, 1922, pp. 561-605 (see especially pp. 582 ff.); J. Ott's modern dramatization, *Les Trois Bossus: Fabliau en 1 acte, en vers, d'après le Trouvère Durand de Douai*, Paris, 1931.

6 *avint* may be taken, as it was by Montaiglon, as an impersonal verb with l. 9, forming a paratactical construction, 'it happened that there was once upon a time a man dwelling . . .'. Alternatively, the subject, unexpressed, is the *aventure* of l. 5, 'It [the event] took place . . .'.

14 'And yet he managed things so well'. For the locution *se savoir avoir*, which is used in an almost identical context in the *Lai de l'ombre*, ll. 70-3,

[1] See Introduction, p. ix. The theme of *Estormi* (MR I, 19) is particularly reminiscent of that of the *Trois Boçus*.

see Jean Renart, *Le Roman de la Rose ou de Guillaume de Dole*, ed. Rita Lejeune, Paris, Droz, 1936, p. 138.

44 *li*, dialectal, Picardism=*la*.

46–7 'What should I say? This is the sum of the hunchback's doings.'

67 *ou=chez qui*. *le*, either neut. pron. with *fere* as *verbum vicarium* referring back to *fere cele feste*, l. 65, or Picard fem. pron. referring to *cele feste*. 'For there is nobody in the town with whom they ought rather to spend it.'

113–15 *chaaliz*. This word, which has survived into some modern dialects, means a large wooden bed, wholly or partially enclosed, and which might be divided into compartments, *escrins* (see W. von Wartburg, *Französisches Etymologisches Wörterbuch*, under *catalectum*). Though large, medieval beds were often lightly constructed so that they could be carried from place to place.

120 *Qui=cui*, dative. 'To whom her favours gave very great pleasure' (*cui* = to the hunchback); or, if *cui* = to the lady, 'who was fond of (her) pleasure'.

147 Either *Et s'*='and' with *entestez*, p.p. adj., or *s'entester*, v. refl.

178 For *estre*+pres. part.=continuous pres. ind. see L. Foulet, *Petite Syntaxe de l'ancien français*, §125.

192–3 *Que soiez* is imperative. Lit. 'Shame upon you if you do not return!' i.e. 'You can't get out this time; you will stay there to your shame.'

222 'You will come too late to repentance'='It will be too late for you to be sorry [for your return].' The porter is threatening the corpse with punishment if it does not stay where it is.

241 Saint Morant is the patron saint of Douai, where he is buried, and was honoured in other regions in NE. France. *Roële* normally='wheel', but there is no known connection between the saint and a wheel; other suggestions are 'round bloodstain' MR and Godefroy, 'tonsure' La Curne de Sainte-Palaye; Pillet thinks the word may be a scribal corruption, perhaps for *boële*, cf. 'by the bowels of Christ'. See Pillet, *Das Fableau . . .*, pp. 5–6.

270 'until the woods are seen to have their green leaves again', i.e. 'for a very long time'.

285–96 Durand is otherwise unknown. His 'moral' is but partially fitted to the story. However, the idea of the power and the evil of money is illustrated to the extent that the wife was virtually purchased by the hunchback's wealth, the return of the minstrels to the house was motivated presumably by the desire for gain, and the porter 'covoitoit les deniers'.

VI. DE LA BORGOISE D'ORLIENS

MS. B.N. fr. 837 fo. 163a–164b. (A)

This is the basis of our edition. A few variants from two longer versions (Berne 354 fo. 78a–80c (C); Berlin, Hamilton 257 fo. 32c–34a (D)) are given in the Notes, but we have made no attempt to show how the story has been expanded.

This fabliau, which Bédier (p. 437) ascribes to a Norman writer, tells of an ingenious resolution of the eternal triangle problem. The *bourgeoise* is a typical example of the wives frequently found in the fabliaux: she is scheming,

unfaithful, and entirely unscrupulous, prompting the poet's cynical comment
in ll. 85–7. There exists an Anglo-Norman fabliau with a related plot, the
Romanz de un chivaler et de sa dame et de un clerk (MR II, 50), whilst the *Dame
qui fist batre son mari* (MR IV, 100) is merely another, slightly expanded,
version (298 lines) of the *Borgoise*, of which a still longer version (325 lines),
not printed in MR, is preserved in MS. Berlin, Hamilton 257 (ed. G.
Rohlfs in *Sechs altfranzösische Fablels*, Halle, 1925). The theme, if not
the fabliau itself, enjoyed great success during and after the Middle
Ages. A strikingly similar situation is found in the Saxon historian Bruno's
De Bello Saxonico, probably written in 1082, and a story reminiscent of this
occurs in the late twelfth-century *Annales Palidenses*, whence it was taken over
into the *Sächsische Weltchronik*. In the thirteenth century the troubadour
Raimon Vidal treated the theme in a more elegant manner. It was Boccaccio,
however, who was to give the story its widest currency, and imitations or
analogues of his version in the *Decameron* are found in French (La Fontaine's
Cocu battu et content), Italian, Spanish, Russian, German, and English. Details
will be found in W. H. Schofield's article cited below.

Edition: MR I, 8.

See also: MR II, pp. 291–2, and III, p. 335; *HLF*, Vol. XXIII, p. 188;
Bédier, pp. 298–301 and 449–50; W. H. Schofield, 'The Source and History
of the Seventh Novel of the Seventh Day in the Decameron', *Studies and
Notes in Philology and Literature* 2, Harvard, 1893, pp. 185–212.

———

10–11 CD make the scholars Norman:

> De normandie sont venuz (*estoit venu* D)
> .Iiij. normanz clers escoliers (*clers normant escolier* D).

11 ff. For the dissolute life led by many medieval scholars see Christine
Thouzellier in A. Fliche, *Histoire de l'Eglise*, Vol. X, Mayenne, 1950, pp.
382–3. The scholars of Orleans had a particularly bad reputation (see Helen
Waddell, *The Wandering Scholars*, London, 1927, pp. 123 ff.).

17 *ponois*. This word occurs only in this text, and the meaning deduced
from the context by Godefroy and MR is 'puissance, haute position'.

25 'whether by his conduct or by words', i.e. the resolve of the bourgeois
was to teach the scholar a lesson by doing or saying something when an
appropriate opportunity presented itself; but, if *le* in ll. 26 and 28 were a
dialectal fem. form, ll. 26–8 would refer to the clerk's designs on the
bourgeoise, as is definitely the sense in CD.

59–61 'and said that he would go and spend the night three leagues from
the town so as to get on with his journey'. *jornees*: the journey is seen as a
series of daily stages. He will use what remains of the day, on which his
niece has revealed his wife's intentions, to make a start on his travels.

83 'When she began to'='Immediately she had . . .'.

104–5 Proverb. Morawski, No. 213.

120 *Jusque an la chanbre demoine* C. This version, with its reference to *la
chanbre demoine* 'the principal, best, bedroom', pointing the contrast with
the husband in the *solier*, may well be the better, and possibly the original,

reading. A, supported by *De si en sa chambre le meine* D, is defensible and has been kept.

146 A's *aportoit* does not rhyme and we have made the obvious emendation.

161 *errez*] *errer* A.

162–3 *Et cil . . . Ai molt bien couvenant tenu.* This appears to mean 'I have kept my agreement faithfully with this man'; this requires *cil* to be an oblique form, which is not altogether unknown; see Nyrop, *Grammaire Historique . . .*, Vol. II, p. 418, Rem. The meaning is correctly expressed in C by *Au clerc . . . ai bien ses couenanz tenuz.*

164 The subject of *est venu* would appear to be *couvenant* understood from l. 163, though in C, where *couenanz* is plural, the subject of *est venuz* is plainly the clerk.

165 *perrin* usually means 'marble hall', but the room in question is a *solier*, 'upper room', ll. 95, 108, etc.; D uses *perrin* throughout.

226 'released him from evil thought', i.e. 'put evil thoughts from him'.

227 The construction in this line appears to be *sentir a*, and may be considered parallel to *tenir a*. Trans. 'he feels his wife to be', 'he feels that his wife is'.

241 *lor=le lor*.

242–3 These lines, which we put in the mouth of the husband, are treated by Montaiglon as a comment of the author's.

VII. BAILLET

MS. B.N. fr. 12483 fo. 193b–194c (old foliation 184–5). (H)

This fabliau, also known as *Du Prestre qui fu mis ou lardier*, is preserved in a manuscript written after 1325 in which profane poems are found among works in honour of the Virgin. It is unique in that it is written in the form of a *chanson*, although the content is typical of the fabliaux. P. Toldo mentions a similar tale in Etienne de Bourbon's *Anecdotes historiques, légendes et apologues* (No. 470) and makes comparisons with two tales coming from Lesbos and Saigon. J. Bolte cites various other similar tales in a postscript to Toldo's article.

Editions: MR II, 32; *Recueil . . .* (Gillequin), pp. 31–6.

See also: MR II, pp. 311–12; Bédier, p. 470; P. Toldo, 'Aus alten Novellen und Legenden: 1. Die Geschichte von dem im Speckschranke versteckten Priester', *Zeitschrift des Vereins für Volkskunde* 13, 1903, pp. 412–20.

---

45 *se sont*] *S est'* H. Both MR and the editor (P. Meyer) of the version in *Romania* III (1874), pp. 103–6, resolve this abbreviation into *s'estoit*. This would make the priest the subject and is consistent with the sense of l. 29. We prefer to read *st'* as *sont* and regard the p.p. as agreeing with the refl. pron. as in l. 95.

46 In many fabliaux a bath plays an important role in such clandestine meetings as this. For notes on medieval baths in general see Faral, *Vie Quotidienne . . .*, pp. 191–5.

47 *Honteus* 'having false shame'. The implication is that he was not inhibited from bursting in on the guilty pair.

52 A cut in the MS. has removed the bottom half of the letters *vi* in *vit* and everything that preceded it. Both P. Meyer and MR make the obvious restoration.

55 *tantost*. As preconsonantal *s* is mute, the rhyme, though poor for the eye, is correct.

85 *onc*] *ont* H.

93 'His brother (i.e. the priest in the meat-safe) recognised him.'

94 'Brother, in God's name, set me free!'

137–40 'Brother, in God's name, set me free; I shall pay you back as soon as possible.' In l. 139 *tan* may be dog Latin for *tam*, or French *tant*.

168–168a The second of these is a supernumerary line; *tueri* does not enter into the rhyme-scheme. Translate: ' . . . it is good to have oneself guarded by a little eye: Do not conceal (lit. 'protect') your deeds from the eye of a child.' The meaning is that the sharp eye of a child watches well over one's interests, as Baillet found to his satisfaction. We may contrast the *explicit* to *Celui qui bota la pierre* (MR VI, 152, ll. 109–14, and the other version of the same story, MR IV, 102), where it is rather the wife's point of view which is expressed:

> Par ceste fable moustrer voilg
> Que l'en se gart dou petit eulg
> Autresinc bien, comme del grant;
> De fol et de petit effant
> Se fait touz jors mout bon garder,
> Car il ne sevent riens celer.

Cf. also the proverb: 'De fol et d'enfant garder se doit l'en'. Morawski, No. 490.

172–4 'There is no cleric, however eminent he be, but would have the worst of it at the end of the business, if he had made a move against a cobbler.'

The archaic English equivalent of *tondu* is 'shaveling'.

The MS. has *cavetiers* which may be either a faulty spelling for *çavetier* or a genuine plural; the singular appears preferable. The final *-s* of *esmeüs* is superfluous in rhyme with *sceü* and *tondu*; for the agreement see ll. 45 and 95, and contrast with l. 120.

VIII. DE BRUNAIN, LA VACHE AU PRESTRE

MS. B.N. fr. 837 fo. 229b–c. (A)

Montaiglon and Raynaud fell into the common error of ascribing this fabliau to Jean de Boves (MR II, p. 293), although Leclerc (*HLF*, Vol. XXIII, p. 115) had already pointed out that this attribution resulted from a misinterpretation of the opening lines of the *Deus chevaus* (MR I, 13), from which we quote those relevant to *Brunain*:

> Cil qui trova del Morteruel
>
> .   .   .   .   .   .
> Et de Brunain la vache au prestre,
> Que Blere amena   .   .   .
>
> .   .   .   .   .   .
> D'un autre fablel s'entremet,
> Qu'il ne cuida ja entreprendre;
> Ne por Mestre Jehan reprendre

De Boves, qui dist bien et bel,
N'entreprent il pas cest fablel,
Quar assez sont si dit resnable.

In all, eight fabliaux are mentioned in this passage, and, since one of them
(MR V, 131) is ascribed to a certain Jean Bedel (perhaps the well-known
trouvère Jean Bodel), a case can be made for regarding him as the author of
Brunain (Bédier, pp. 483-6). But one must be cautious of such an attribution,
since one fabliau could exist in various versions by different poets.

Editions: MR I, 10; *Recueil* ... (Gillequin), pp. 28-30.

See also: MR II, p. 293, and III, p. 335; *HLF*, Vol. XXIII, pp. 113-14,
and 197-8; Bédier, pp. 451-2 and 483-6; Faral, *Le Manuscrit 19152*, pp. 26-7.

Title. The name Brunain is taken from the text and the *explicit*; it is given
as *Brunauz* in the introductory rubric.

4 *servise* is here the most solemn part of the service, namely the celebration
of the Mass.

5 *proisne*. The normal O. Fr. form is *prosne*, Mod. Fr. *prône*. The sermon
was preached by the priest standing at the screen, or rail, separating the
chancel from the nave.

7 'if one took the reasonable view'; *qui = si l'on*.

16 *le donons le prestre* 'we give it (the cow) to the priest'. *le* is a Picard
fem. pron. as in l. 24 and possibly l. 56.

44 *Andeus*] *An.ii.* A.

59 *bon*. MR correct to *bon*. The MS. reading is quite clear and we have
maintained it; MR may have thought it curious to find God called a man,
but cf. *Couronnement de Louis*, l. 524, where God is referred to as '*l'on el mont
qui plus m'a fait irier*'.

60 *li et autre* 'she and another'. The pron. *li* is fem. disjunctive. 'Blere is
coming back, she and another with her.'

66 *Qui Dieu*] *cui dieus* A.

67 Allusion to the Parable of the Talents (*Matthew* xxv, 14-30; cf. *Luke*
xix, 11-27).

69 The usual meaning of *c'est del mains* 'it is of little importance' does not
fit this context; the meaning seems to be 'that is obvious', or 'that is the
least one can say' (cf. Rita Lejeune-Dehousse, *L'Œuvre de Jean Renart*, Paris,
1935, p. 439).

72 Proverb. Morawski, No. 2370.

IX. DU PROVOIRE QUI MENGA LES MORES

MS. B.N. fr. 19152 fo. 56c-e. (B)

Guerin, apparently the author of the source of this fabliau (l. 4), may well
be the same poet (Guérin or Garin) who composed a number of others (see
G. Raynaud, *Romania* IX, 1880, p. 221; Bédier, p. 480; Faral, *Le Manuscrit*
19152, pp. 28-9), and who was probably writing in the Ile-de-France at
about the middle of the thirteenth century. That he was a prolific writer we
may gather from the opening lines of his *Berangier* (MR III, 86):

Tant ai dit contes et fableaus
Que j'ai trouvé, viez et noveaus,
Ne finai passez sont dui an ...

The story itself exists in another, shorter, version, preserved in MS. Berne 354 fo. 143 (MR V, 113) and is referred to in the *Deux bordeors ribauz* (MR I, 1, ll. 297-8), so it appears to have enjoyed some popularity (cf. *HLF*, Vol. XXIII, p. 138; MR IV, p. 236). There are modern versions too. Bédier suggests (p. 398) that it existed in Latin before being acclimatised in profane literature by the Goliards.

Edition: MR IV, 92.

See also: MR IV, pp. 235-6; *HLF*, Vol. XXIII, pp. 137-8; Bédier, p. 480; Faral, *Le Manuscrit 19152*, pp. 28-30.

In two places, ll. 19-20 and 25-6, the rhyme disregards final -*s*.

43 Perhaps corr. *assez* to *a sez* and translate 'he had eaten his fill'.

62 The *feme au prestre*, a notorious figure in the Middle Ages, was normally the priest's concubine, though the actual marriage of priests was not unknown (see *HLF*, Vol. XXII, pp. 150-2; A. Fliche, *Histoire de l'Église*, Vol. X, pp. 143-7).

79 I.e. gluttony, one of the Seven Deadly Sins.

X. LI TESTAMENT DE L'ASNE

MS. B.N. fr. 1635 fo. 4c-5d. (F)

The author of this poem, Rutebeuf, a native of Champagne but living in Paris, flourished between 1250 and 1280.[1] He is celebrated chiefly as a lyric poet, but wrote in several other genres and has left five fabliaux (MR III, 68, 79, 82, 83, and 87). As we mentioned in the Introduction, Rutebeuf's style is at its simplest in these fabliaux, though here, too, his quest of the rich rhyme is evident, and the exact sense of all his phrases is not clear on a first reading.

The theme of the *Testament de l'asne* has enjoyed a considerable success. It may have come from the East. It was in its Eastern form that it was introduced by Le Sage into *Gil Blas* (Book V, Ch. i; summarized by Clédat, pp. 178-80).

Editions: MR III, 82; A. Jubinal, *Œuvres complètes de Rutebeuf*, Vol. II, Paris, 1874, pp. 78-85; A. Kressner, *Rustebuefs Gedichte*, Wolfenbüttel, 1885, pp. 109-13.

See also: MR III, pp. 402-3; *HLF*, Vol. XX, pp. 739-40; Bédier, p. 473; L. Clédat, *Rutebeuf*, Paris (Les Gds. Ecrivains fr.), 2nd edn. 1909, pp. 177-80; A. Kressner, 'Rustebeuf als Fableldichter und Dramatiker', *Franco-Gallia* XI, 1894, pp. 113-21.

The scribe of this MS. frequently uses *c* for *s*, ll. 46, 55, 66, 75, etc. We have transcribed his *w* as *vu* in ll. 1, 74, 113, and 137. Note also the dialectal forms with *ei* (< Lat. free tonic *a*), ll. 13, 24, 25, 26 etc.

12 *oef*] *oes* F.

20 ff. For the wealth and venality of the clergy of all ranks in the thirteenth

---

[1] For general studies of Rutebeuf, see the manuals of literature and Clédat's work mentioned below; also Bédier, pp. 409-17.

century see A. Fliche, *Histoire de l'Église*, Vol. X, pp. 142-5. Bishops were particularly inclined to indulge in simony.

27-9 'For the priest was skilled in selling and in waiting to sell during the period from Easter to the Feast of St. Remy.' Sales from Easter to St. Remy's Day, October 1st, cover the period when corn is likely to be in short supply and therefore more expensive.

28 This line is one syllable short unless we assume a very exceptional hiatus *vendue atendre*. MR emend to *pour bien la v. a.*, and Kressner to *vendue s'a*.

49-50 The rhyme would seem to require *crestiens*, in which case *compeignie* might be emended to *compeigne*.

53 *Mais* has the sense of the older *ainz*='but rather'.

56 Apparently a proverb, cf. Morawski, Nos. 2084-5.

68 *peüssent*] *peusfent* F.

75 'and someone would owe (=ought to offer) a great reward (recompense)'. The recompense would go to the one who reported the misdeed committed, l. 73.

78 Bauduÿn is the stock name for a donkey in the Middle Ages.

83 ff. The medieval bishop wielded real disciplinary and juridical powers, as witness the reference to prison in l. 105.

85-6 The rhyme *seure* : *secoure* becomes correct if either of the variant forms *soure* or *sequeure* is pronounced.

102 Rutebeuf wrote a life of this saint. Ed. B. A. Bujila, University of Michigan Press, 1949.

108 Literally: 'Every word lets itself be said'='It would be easy for me to reply [at once]'.

112 However this line is read, *j'i beë en* or *jë i bee en*, there is an unpleasing hiatus. The sense is not clear. We suggest that *beer* has a connection with *rester boûche bée*, and would translate: 'And not remain speechless', 'And not have nothing to say, in court'. If the meaning is to come from *beer* 'desire', we suggest 'not that I want to take it to court', 'not that I am spoiling for a lawsuit'.

123 This line appears to be a proverb 'While the foolish man sleeps, the appointed time comes round'.

126 *Touz ses* cannot refer to *livres* (fem.) but to an understood masc. word such as *deniers*. Translate: 'In cash and all in good money'.

128 The inference from this line is that twenty *livres* paid in cash will not reduce the priest to such poverty that he is likely to go hungry and thirsty.

131-2 'Priest, have you, who have suffered the consequences of your folly, had time for reflection?' See Tobler-Lommatzsch, Vol. I, col. 1040. *Votre sens*='the amount (i.e. the small amount) of intelligence you possess'.

144 'The priest who on this occasion (in this predicament) did not set a high value on money', i.e. the normally miserly priest was prepared to pay gladly to escape the consequences of his misdeed.

150 A pun seems intended here, since the word *escu* can mean money or, figuratively, protection.

166-7 These cynical lines were probably spoken from the heart, since elsewhere in his poetry Rutebeuf often complains of his own poverty.

XI. DOU POVRE MERCIER

MS. B.N. fr. 1593 fo. 153d–155b (old foliation 150–2). (E)

G. Gröber (*Grundriss der romanischen Philologie*, Vol. II (i), p. 905) ascribes this work to the second half of the thirteenth century; and, judging by the feudal and social customs which are depicted, Bédier (p. 284) sees the story as belonging essentially to the French Middle Ages. Certainly the picture of seigneurial justice and the conception of the monk's relationship to God as to an earthly overlord are both entirely feudal (cf. Bédier, p. 315). The poet describes himself as a *joli clerc*. Doubtless he was one of those *clercs vagants* who, shunning a more sober vocation or forced by poverty to fend for themselves, roamed the country along with the *jongleurs*, composing their poems now in Latin, now in the vernacular (see Faral, *Les Jongleurs . . .*, especially pp. 32–43; Helen Waddell, *The Wandering Scholars*). Also along with the *jongleurs* they incurred the censure of the Church for their carefree and dissolute ways, and so it is not surprising to find one of their number trying to get a laugh at the expense of the men of God. He may come near to blasphemy at times in his poem, but the *explicit* with its pious prayer followed by a frank demand for wine nicely sums up, we suppose, the balance of his character.

Edition: MR II, 36.

See also: MR II, pp. 321–2; HLF, Vol. XXIII, pp. 162–3; Gröber, *Grundriss*, Vol. II (i), p. 905.

———

The scribe of this MS. frequently writes *a* for *ai* (l. 36), *ai* for *a* (ll. 24, 40, 77, 128, etc.), *oe* for *oie* (ll. 25, 26, 65, 66, etc.); final -*s* is sometimes inserted where unnecessary and omitted where necessary (l. 13). He is guilty of some sporadic omissions (e.g. ll. 7 and 28) and of hesitation between single and double consonants (ll. 13 and 110). Occasionally he forms an *o* so badly that it might be mistaken for an *a* (e.g. l. 27 *ostages*, l. 112 *doi*, and l. 118 *donestes*).

2 *de c'on rie.* This use of the atonic neut. pron. is noted by L. Foulet, *Petite Syntaxe . . .*, §256. MR print this as *de conrie* and gloss by 'convenablement', which seems fanciful. The line means 'to produce something at which one may laugh'; *rie* is a generic subjunctive.

3 The author presents himself in the 1st pers. (in spite of *s'estudie*, l. 1) and so too takes leave of his public in l. 260.

8 *Et*] *Ai* E.

11–17 This passage is very clumsily constructed. Both *mortel guerre* and *totes genz* are objects of *haoit* and a conjunction between the two would seem essential; in addition l. 16 is abruptly introduced. *uns sires*, l. 11, is the subject and *fist crïer*, l. 17, is the verb of the main clause.

12 To emend this line, instead of adding *Et* (see l. 28), *mortel* might be given an analogical fem. form in -*e*. The relative *que* is here taken to be a nom. masc. form (the abbreviation sign resembles those elsewhere in this text resolved as -*ue*); MR print *Qui* with no comment.

13 *malveisse*] *malueisses* E.

16 *nulle* expanded from *nūle*; also in l. 42.

17 For notes on merchants and trade in the thirteenth century see Faral, *Vie quotidienne . . .*, pp. 63–7.

20 *vallet*] *vallat* E.

23 *mon*] *son* E.

32 *est crose*. The scribe appears first to have written *est rose* and then to have turned the bottom half of the *t* into a *c*, ligatured it to *rose*, and written in a small *t* above the line. MR print *close* without comment.

42 The force of *sanz nulle creance* is that the *seigneur* will assume responsibility even if he has not been specifically made aware of his obligations beforehand.

43 *Vostre*] *vostres* E.

48 MR gives this line to the preceding speaker, but it goes so much better with what follows that we have given it to the *mercier* in spite of the repetition involved of *il* (1. 48) and *merciers* (1. 49), for which, however, see ll. 101–3.

51 MR take this line out of direct speech, but *comant* can only be ind. pr. 1.
a seignour. Here *a=al* with loss of preconsonantal *l* (?) cf. l. 77. The *mercier* commends his horse both to God and to the lord of the domain.

60 *le mainjue*] *la m.* E. We prefer to emend to *le* rather than take *la* as an adverb and leave the verb with no object or with an object to be understood from *l'estrangle*. MR's version *l'a mainjue* is incomprehensible to us.

65–6 'I should wish that it had been done with my strongest leather strap.'

73 *avenuz* although the subject is *mescheance* fem. Might it be impersonal= *il m'est avenu?*

76 *il* impers. pron. subj.=*il li an panroit pitié*.

83–4 E has: *Vos doint dex por quoi plorez uos*
                 Biaus sires le uolez uos

The rhyme *vos* : *vos* is identical and poor, and l. 84 lacks one syllable. We have emended the text and improved the rhyme in spite of ll. 147–8.

85 *et* intensifying='then, well then'.

87 *vo*] *uos* E.

91 *su=sel*, cf. *nu=nel*, *du=del*, commonly in O. Fr.; 'I had been told that if I put it under your protection.'

96 *la Deu guarde* 'God's protection'. The word-order is archaic and confined to set locutions of this kind.

97 *commandoi*, probably *-oi=-ai*, preterite, rather than *-oie*, imperfect, with *-e* elided.

106–7 'Yes, by the Holy Trinity, and as God may preserve me from danger.' MR give l. 107 to the lord's speech.

108 *tu*] *su* E.

108–10 'If you had been in great need of money, for what [sum] would you in fact have given it (=the horse) and from what [sum] would you not have abated a penny?' The lord is trying to ascertain the exact value of the horse.

The *quo* in l. 109 was misread as *que* by MR (p. 321), and they print *combien*. In ll. 109–10 *donesses* : *lessases* do not rhyme and the scribe must be responsible; *donasses* : *lessasses* or Eastern and Southern dialectal forms *donesses* : *lessesses* would rectify matters.

112 *foi qui doi ma Dame* 'by the faith I owe Our Lady'; cf. ll. 138 and 160 (against *foi que je doi*, l. 132). The scribe's insistence three times on *qui* makes one hesitate to change to *que*. In fact *qui* can be an oblique form, see Foulet, *Petite Syntaxe* . . ., §253.

113 *ja*] *ie* E. 'as I myself may be . . .'

117-8 *comandestes*: *donestes* are dialectal forms.

119 *li*=*le li*.

122 *en sa terre*=in Heaven.

132-6 The pedlar is here addressing God.

133 The line lacks one syllable, perhaps read [*ne*] *se je*.

138 We take *doi* 1st pers. as part of a fixed locution.

139 The line is one syllable short. MR suggest *pranderoit* but perhaps [*le*] *prandroit* would be better.

140-2 '. . . and he would exact vengeance for it (the horse) if he could find the occasion to do so, for he would be able to give a good account of himself.'

lué appears to be a form (dialectal?) of *leu*, *lieu*<*locum*, but it is not listed in Godefroy.

150 *frere*] *freres* E.

152 *nus*] *nuns* E.

152-6 loosely constructed and appears to combine two lines of thought: (1) 'May I be shamed if you escape before I am paid . . .' and (2) 'I will be paid even if as a result you have to go in your shirt'.

164 *vo Seignour*] *uos seignours* E.

165-6 The two rhyme-words are not quite identical in meaning, the second being more abstract, 'wrong', as opposed to 'financial loss, injury'.

167 *tenez*] *tenoz* E. If *o*=*oi* the tense would still be ind. pr., cf. *deveiz*, X 135.

171 'If you know of anything to ask of me . . .'

175 *li merciers*] *li sires* E.

183-4 The rhyme is correct whether one pronounces -*aje* or -*aije* in each case.

184 One syllable short. MR emend to *molt grant*.

190 *pas*] *pes* E.

193 One syllable short. MR suggest *de la m.*, but there are other ways of completing the line, e.g. *N'est il pas*.

195 3rd pers. pl. for indef. pron. subj.

206-8 'Because it was His (God's) offence, I have made you responsible for the damages and taken your pledge (i.e. the cloak) from you.'

ostagier=take something (which will be returned in due course) as a guarantee of performance. The cloak will be restored when the thirty sous are paid.

218-19 'What I say will be held binding.' Either take *qui* obl. as frequently in this text, or read *qu'i*. One syllable too many in l. 218; either omit *Il*, or, with MR, change *sera* to *ert*.

228 *je*] *ne* E.

228–9 'I shall propose two things for you to choose from.'

232 To make an eight-syllable line read *sainte* Y. or emend (with MR) to *la s.* Y.

233 *autre seignour* dative, indirect obj.

234 Either *quite* agreeing with *Vos* 'You, scot free, will have back ...' or *quite[s]* agreeing with *gages* 'your pledges, the garments seized as pledges, scot free'.

236 One syllable short. The obvious correction is (with MR) to change *con* to *come*.

241 *Li*] *Il* E.

resist 'it would have suited him for his part', 'he for his part would much have liked'. MR emend to *vosist*, but the sense we propose for *re-seoir* enables it to be kept.

255 'He paid the money over in God's name and yet it was not an alms'— as money given in God's name usually is.

XII. DE LA MALE HONTE

MSS. Guillaume's Version:
              B.N. fr. 2173 fo. 93c–94d. (G)
              B.N. fr. 19152 fo. 62e–63c. (B)
        Huon's Version:
              B.N. fr. 837 fo. 233a–d. (A)
              Berne 354 fo. 45c–47b. (C)
              B.N. fr. 12603 fo. 278b–279b. (I)

We have taken G as the basis of our edition.

The humour of this fabliau depends entirely on a play on words, *male honte* meaning 'foul shame' (cf. *Brifaut*, l. 77) or, Honte being a name, 'Honte's bag'. This fact would seem to indicate a French-speaking region as its place of origin (cf. Bédier, p. 283), even without the element of satire which, in our version, adds confirmation. The poet names himself as Guillaume (l. 150), but there is no evidence to justify his identification by Montaiglon and Raynaud with Guillaume le Normand, author of another fabliau (Bédier, p. 481). A second version of the fabliau exists (MR V, 120), bearing in one of its manuscripts the name of Huon de Cambrai. Both versions are edited by A. Långfors in his edition of Huon's *Vair Palefroi*; and although Huon's is longer by a third, Långfors thinks that it could be the earlier, since Guillaume's gives at times the impression of being a résumé (Långfors, pp. xii–xv). It is commonly agreed that the king who figures in the story and who is the butt of the satire at the end of both versions is Henry III of England;[1] and it has even been supposed that one of the unhappy events of his reign is alluded to in Huon's version (Långfors, pp. xiii–xv). Be this as it may, it would seem that the original fabliau was composed some time in the middle of the thirteenth century.

[1] One of the manuscripts of Huon's version omits the political satire. Montaiglon and Raynaud identify the king with King John (p. 234).

On the name Honte Långfors remarks: 'Il faut sans doute voir là une plaisanterie sur le mot flamand *De Hont*, "le chien", encore aujourd'hui employé comme nom propre' (p. x, note).

Editions of Guillaume's Version: MR IV, 90 (from MS. B); *Recueil . . .* (Gillequin), pp. 17–21 (from MS. B); A. Långfors, *Huon le Roi: Le Vair Palefroi*, Paris (CFMA), 1921, pp. 51–6 (from MS. G).

See also: MR IV, pp. 233–5; Bédier, pp. 283 and 481; Faral, *Le Manuscrit 19152*, pp. 31–2.

————

In the opening lines of G certain changes have been made, erasures, alterations of spellings, by a later (fifteenth-century?) hand, for the purpose of modernizing the language. The following are the words concerned, with the later additions or alterations in square brackets: 1. *Seign[eur]*, 2. final *-l* of *fablel* erased, 3. *D[un]*, 4. *T[out]*, 5. *q[uil estoit]* the last word being inserted above the line and indicated by a caret mark, 9. *no[us]*, 14. [*s*]*i* added over an erasure, the original word having been *en* whose last upright remains as *i*, 15. final *-s* of *comperes* erased.

A much later hand has added *fabliau de la male honte* in the margin beside the miniature illustration of four persons: Honte's friend carrying the bag on his shoulder, the king seated, and two courtiers standing.

5–8 In Huon's version, the king is entitled to only a share of the dead man's wealth. In England and on the Continent it was customary for an overlord to claim part of the head of a family's possessions on his death (see Långfors, pp. xii–xiii). Henry III was notorious for his measures to obtain money from his subjects.

7 *uns*] *.i.* B, *li* G.

14 *en*] *si* G, but this appears to be an alteration from the original *en* which is the reading of B.

23 *l'i*, or read *li=la li*.

26 *comparage*. This is continued into Mod. Fr. as *compérage*; it means 'something promised to a *compere*', and so *garder son comparage* 'keep the promise made to his friend'.

28 *le chemin monte* 'he goes along, starts out upon, the road'.

30 Line missing in G supplied from B.

35 At this point the feeble equivocation on *la male honte*, on which this fabliau is constructed, begins.

36 *la m.* Perhaps emend to *sa m.* with B.

62 *par foi*] *par soi* B 'alone, unaccompanied' is a reading that might well be adopted.

66 *il dit*. The reference is to the source, i.e. the *conte* mentioned in l. 9.

97 *foïe*] *fois* G, *foiee* B.

98 'And when the king had eaten his fill, finished his meal.' This is the sense given by *par*, which it had acquired when prefixed to verbs; thus *mengier* 'eat', *parmengier* 'eat one's fill, eat everything up'.

101 *qu'i*, or read *qu'i[l]*, restoring preconsonantal *-l* fallen from pronunciation.

112 *vos l'aiés=ayez-la*. The impve. could have a pron. subj. in O. Fr.

119 *vuelt*] *ul't* G.

128 *que* neut. nom. 'Know what Honte's bag is'.

139 *Qu'aprés*] *Q'* *apres* G. *aportat* subj. impf. 3=*aportast* with loss of *s*
before voiceless consonant.

152 Both meanings of *la male honte* (*Honte*) are present in this line.

XIII. DU VILEIN MIRE

MSS. B.N. fr. 837 fo. 139b–141b. (A)
      Berne 354 fo. 49c–52c. (C)
      Berlin Hamilton 257 fo. 11d–13c. (D)

The three MSS. are clearly grouped A–CD. CD tell the story economically
and satisfactorily and of these two we select D as the basis of our edition,
since C seems more prone to individual slips or unfortunate corrections of his
exemplum and has omitted ll. 89–122.

In his edition of this fabliau, C. Zipperling concludes that it was written
to the east of the Ile-de-France area not earlier than the middle of the
thirteenth century (p. 99). This is another of those fabliaux for which an
oriental origin has been suggested, and supporting evidence for the theory
is found in an Indian collection of tales, the *Sukasaptati*, which may date
from the ninth century. The forty-first story shows real similarities with the
Vilein mire (see Zipperling, pp. 7–15). Related themes are found in various
other texts from the Middle Ages and later periods, all of which are investigated by Zipperling; but the best known, and that which has turned attention
back to the fabliau, is Molière's *Médecin malgré lui*. Despite the obvious
resemblances to the first part of the fabliau, however, it is more likely that
the play was inspired by an Italian farce containing the same theme (MR III,
p. 379; Zipperling, pp. 35–7).

Editions: MR III, 74 (from MS. A); C. Zipperling, *Das altfranzösische
Fablel du Vilain Mire*, Halle, 1912 (from MS. A).

See also: MR III, pp. 370 and 379; *HLF*, Vol. XXIII, pp. 196–7; Bédier,
p. 476.

---

1 Blank space left for initial capital letter in both C and D. A has the
correct *Jadis*.

3 *charues de bués* 'ox-drawn ploughs'.

13–14 'and they tell him that they will seek for him the best wife they
can find'.

32–3 The girl was married against her inclination and to please her
father (l. 27). She accepted the situation philosophically. Translate: 'the
girl whom the marriage [would have] grieved greatly had she dared to do
anything else'. Zipperling quotes parallels for this construction, e.g. *La
pucele fu* (=would have been) *bele et gente, S'ele ne fust au cuer dolente*, Robert de
Blois, *Beaudous*, ll. 651–2.

83–4 These two lines are identical with ll. 113–14 and may have been
inserted by scribal error. They only appear once (ll. 113–14) in AC.

108 *purnés* is a spelling, with intrusive mute preconsonantal *r*, for *punés*, Mod. Fr. *punais*.

117–18 These lines are taken from A. C has: *Je quit quil ne set que ce sont/ Sil lou seust por tot lo mont.* D has telescoped two lines into: *Certes sil seust que cous sont.*

132 It is curious that the messengers should be going to England, since, in the thirteenth century, France, and particularly Montpellier, had a greater reputation in medicine than did England. Zipperling (p. 151) suggests that the author is more interested in rhyme than in accuracy.

133 Line taken from C, with which A agrees except for the first two words *Por qoi*. D has: *Par foi ma damoise sade.* The obvious correction to *damoisele* would restore the syllable count; the line would belong to the messenger's unbroken speech; but the adjective 'gracious' is certainly weaker and less effective than the proper name.

137 *poison* C, *poisson* A, *poisoson* D.

145–7 'Of a truth he knows more about medicine, whether it be physic (=healing) or urine (=inspection of urine=diagnosis) than Hippocrates ever knew.' In the Middle Ages Hippocrates was considered the foremost medical authority.

156–8 As at present punctuated, our text means: 'You will speedily find him, . . ., at a stream . . .'. One might put a full stop at the end of l. 156 and take *a* as *il y a* and translate, from l. 157: 'When you go out of this courtyard, there is a stream . . .'.

158 *rivail* D] *ruissaus* A, *ruissel* C. AC may give a better sense with the verb *court*, but *rivail* 'bank' is just possible and may perhaps mean both 'bank' and 'stream' as does *riviere*.

179 Text from A. *Que il auant n. b. nos die* D, *Quil die ne bien ne uoidie* C.

187 *pa[s] son* D. Our emendation is supported by *n'est mie suen* C. Either, 'He sees plainly that his is not the best way', i.e. that he must change his mind and do what the two messengers desire; or, 'He sees plainly that he is not having the best of it'.

190 'Now there is nothing more to do but mount.'

193–4 'but they straightway mounted the peasant on a mare'. *tuit*, with spelling *ui=u*, is adv. *tut* modifying *enroment*. The mare was rather a beast of burden than a riding-horse (*palefroi*).

201–2 *mire : orine* bad rhyme, no corresponding lines in AC.

211–12 Rhyme *-ez : -oiz* can be corrected by restoring the earlier fut. ending *-oiz* with AC.

228 Lit. 'it will be a bad thing if he is touched henceforth' = 'Do not touch him any more'.

229 *sale* AC] *place* D.

235–6 'for now he knows that she must either get better or die'.

244 'Listen, for I say this to you.' We interpret *o* 'this' as coming from *hoc* in spite of the fact that it is extremely rare after the earliest texts. See Godefroy. There is no corresponding line in AC.

247–8 *covendra* means 'assemble' rather than 'suit, befitting'. Translate: 'nobody other than she and I alone must be there, must assemble there'.

I

The fem. pron. *lié*<*illaei is unusual outside the W. and SW. (see M. K. Pope §839).

252 This line, omitted in D, is supplied from CA.

255 *sont, ce moi s.* C] *si com moi s.* D, nothing similar in A.

264–6 'There is nobody between here and Saumur but would be in prime condition if he were scratched to such a degree.'

279 *mestre.* Our emendation is based on *maistres* C. No similar line in A. The reading *sire* D is the wrong form of address from king to doctor and has presumably slipped in from l. 276 or l. 284.

288 'You will be my doctor (*mestre*) and [will remain] with me.' The syntax is a little forced and the form *ove* unusual outside Anglo-Norman. Nevertheless the line has been kept, though *Mon mestre et mon ami seras* A (supported by *Mon m. et mon saignor serez* C) may be more satisfactory.

303–7 D ends l. 305 with *ce m'est vis* (thus giving a third line rhyming in -*is*) and inserts between ll. 306 and 307 *Montrent li pie ou mein ou menbre* which is an attempt to provide a line rhyming with l. 306. In place of our five lines A has four lines and C five as follows:

A	C
Quant les malades du pais	Ez uos malades do pais
Plus de .iiii.ᴧˣ ce mest vis	Dom il i ot ce mest auis
	.iiii.ˣˣ o plus ce me sanble
Vindrent au roi a cele feste	Au roi vindrent trestot ensanble
Chascuns li a conte son estre	Chascuns dist au vilain son estre.

Our emendation is based on C.

322 'There was still plenty, however much he might take.'

328 *n'ont nul mal* AC] *n'aront mal* D.

376 *vostre lige de meins* D, *vostre hom de mes .ii. mains* C, *vostre homme et soir et main* A. A seems to have introduced a simple but not very relevant phrase. C refers to the swearing of fealty by placing one's hands inside those of the lord; D must bear the same meaning, though the phrase *de meins* is unusual.

368 These two spices were highly prized in the Middle Ages and are often mentioned together in texts (see Zipperling, p. 171).

XIV. SAINT PIERRE ET LE JONGLEUR

MSS. B.N. fr. 837 fo. 19a–21a. (A)
      B.N. fr. 19152 fo. 45c–47a. (B)

We have taken B as the basis of our edition.

This amusing and well-told story, which Gröber mentions as a Picard work from the first half of the thirteenth century (*Grundriss*, Vol. II (i), p. 624; cf. Faral, *Le Manuscrit 19152*, p. 24), is surely the work of a jongleur who was not without sympathy for his hero. For its irreverent but not malicious tone we may compare other of the fabliaux such as the *Vilain qui conquist paradis par plait* (MR III, 81), *Les quatre souhaits saint Martin* (MR V, 133), or the *Povre mercier.* F. Bar, having investigated somewhat similar stories of such different provenance as Ptolemaic Egypt and seventeenth-century France, suggests: 'Pour ce qui est de l'origine même du thème, on peut se demander si ce n'est pas un rite' (*Romania* LXVI, pp. 532–7). We are more inclined to lay all at the door of the poet and even to see in the fabliau a hint of a parody of the Harrowing of Hell (*French Studies* IX, pp. 60–3).

Edition: MR V, 117 (from MS. A); Semrau (*v. infra*), pp. 135–40 (those portions of the text of A which deal with the dice-games).

See also: MR V, pp. 316 and 324; *HLF*, Vol. XXIII, pp. 110–12; Bédier, pp. 284 and 471; Gröber, Vol. II (i), p. 624; F. Bar, 'A propos de *Saint Pierre et le Jongleur*', *Romania* LXVI, 1940–1, pp. 532–7; D. D. R. Owen, 'The Element of Parody in *Saint Pierre et le Jongleur*', *French Studies* IX, 1955, pp. 60–3. For the dice-games see F. Semrau, *Würfel und Würfelspiel im alten Frankreich* (*Beiheft zur Zeitschrift für romanische Philologie* XXIII, 1910); C. A. Knudson, ' "Hasard" et les autres jeux de dés dans le *Jeu de Saint Nicolas*', *Romania* LXIII, 1937, pp. 248–53.

A number of the rhymes in this fabliau are approximate only. In some cases it suffices to substitute a variant form for one of the words, as in *diemenche : tence* 33–4, *chargiez : viegnoiz* 57–8, or *pranre : atendre* 253–4. In others there is lack of identity of vowel or final consonant, as in *seul : maleürous* 65–6, *seus : entendez* 123–4, *otroi : orendroit* 215–16, or *Michiel : chief* 243–4. In lines 13–14 *mente : chaucemente* looks correct, but does any form other than *chaucement* exist? Similarly *tu . . . perdoie : [je] mangeroie* 113–14.

8 *se pela* 'reduced himself to absolute poverty'. On the scourge of dice and gaming in the Middle Ages see, in addition to Semrau, op. cit., Bédier, pp. 400–2; Faral, *Vie quotidienne*, pp. 205–7.

16 'his garments hang in tatters from his body'; *naistre* 'be born', hence, we conjecture, 'spring out', 'start from'.

cors B] *col* A.

20 Perhaps corr. *sa f.*

29–30 'He wanted to be continually debauching himself in the tavern or the house of ill-fame.'

boule B, *la foule* A.

35 'he spent his life in idle folly'.

44 *Ne li* A, *N en* B. One syllable lacking in B.

At the death of this jongleur no angel disputed the devil's claim to his soul. Traditionally angels and devils might contend for the soul of the departed.

49 The professional fighter had a bad reputation and is often found mentioned in pious lists of the sinners in Hell.

63 *tuit* A, *tot* B.

65–6 In place of B's poor rhyme A has *fors uns seus : maleureus*.

80 *li cors* 'My body', or 'I in person', and so in l. 81, as though the phrase were *mes cors*.

86 *traire d'autre arc* lit. 'shoot with another bow' = take another occupation, try something else. A reads *D autre mestier vous couient trere*.

90 The abbreviations *pe* and *pes* of Peter's name have been resolved Pierre and Pierres, as these are the only spellings that occur when the name is written out in full.

91 *chaufer*. The jongleur here and in l. 94 appears to be punning on two meanings of *chaufer* (1) to stoke, (2) to warm oneself.

103 *sor le*[*s*] *elz* B, *sor tes iex* A. In this phrase of threatening and menace *sor*='on pain of losing', cf. Beroul, *Tristran*, l. 1032. The *l* of *elz* is vocalized and the word rhymes correctly with *endeus*. Cf. ll. 207–8.

105 This line serves as protasis to both l. 104 and l. 106.

113 The difficulty of accepting *tu perdoie* could be overcome by correcting *tu* to *ja* and taking the verb as 1st pers. A reads: *Se une seule en desmanoies | Que trestoz vis mengiez seroies*.

117–20 There seems a slight gap in the sense here; one might expect a mention of the obvious condition on which the reward could be earned; namely, taking good care of the souls. Perhaps a couplet to this effect figured between the two pairs of lines rhyming in -*ir*.

The reward takes the form of a dish such as might be served at an infernal banquet, as described, for instance, in Raoul de Houdenc's *Songe d'Enfer* (ed. P. Lebesgue, Paris, 1908, ll. 417–603).

127 *Molt estoit b.* A] *Quar molt fu b.* B.

129–361 The incidents and details of the dicing run through this section. To facilitate their comprehension we start with a broad summary and then deal with the progress of the gambling round by round.

The essential fact to note is that two different dice-games are played. The first is the game of *hasard* to which the players sit down at l. 173, the second is *plus poinz*, which is proposed at l. 204.

The game of *hasard*, as described by C. A. Knudson in *Romania*, may be called *tremerel* in our text, l. 173, but it is not the game described under that name by Semrau (pp. 44–6). It is played with three dice and only one player throws in any one round of the game; at first the thrower is chosen by agreement, but thereafter the winner of any round throws in the following one. Any one of the totals 18, 17, 16, 15, 6, 5, 4, or 3 constitutes a throw called *hasard*, and if this appears as the first throw of a round it is a winning one. If any one of the remaining totals from 14 to 7 inclusive appears at the first throw it is called a *chance* and is apportioned to the opponent. The thrower then throws again, and this time if he throws a *hasard* (technically called *re-hasard*) it is a losing throw, the opponent wins the round and handles the dice for the next round. Should the thrower, after throwing one *chance* for his opponent, throw another *chance*, this is credited to himself, and the round continues until either his own number comes up, in which case he wins, or his opponent's number, in which case the thrower loses; this complication does not occur in our text.

The game of *plus poinz* is very simple. Each player throws three dice, and the higher aggregate wins outright. One round in our text is enlivened by a tie, which is decided by giving the first thrower of that round a second turn.

In both games the stakes of both players (cf. l. 190) are doubled after each round.

129–74 Describe preparations for the dicing.

135 *Dez plenier*. Lack of concord is striking. A has *dez qui sont plenier*.

The adj. *plenier* means regular in shape, weight, and composition (see Semrau, pp. 27–8).

156 *donner fardel* = 'propose an initial stake' at a certain figure. The translation 'I propose an initial stake of 100 sous' exactly represents A's version (except for the figure) *Je te doins .xx. sous de fardel*. For *fardel*, see Semrau, pp. 65–6. It is the initial stake (in St Peter's case 100 sous, in the jongleur's case 3 souls). This may have been kept apart from the stakes in subsequent rounds, since it seems to occupy a separate place in the reckoning of aggregate winnings (cf. ll. 198, 214). It also appears from the text that the winner did not take over the loser's stakes until the end of play.

172 *metre au geu* = 'lay down . . . as a stake'.

173 *tremerel* = (1) the dice-game of this name, or (2) more generally, a gambling dice-game; *s'asseoir au tremerel* we take to mean 'sit down to gamble', 'begin to play'. For the generalized meaning cf. *tremeler*.

175–82 First round of *hasard*. (In our summaries of the play J = Jongleur, P = Saint Pierre; numbers in brackets = line references.) J throws 8, which not being *hasard* does not win the round outright, but is a *chance* apportioned to P (178); J throws again and scores 6, a *re-hasard*, a losing throw as P states (179 and 182). P wins 3 souls, the stake proposed at ll. 164–5 and agreed to by J at l. 167.

177 *qui*] *que* B; *qui* dat. = *cui*, cf. l. 193.

183–8 Second round of *hasard*. J agrees that he has lost and proposes to double his stake from 3 to 6 for Round 2 (184). P agrees and, as the winner of the first round, throws first and scores 17, which is a winning *hasard*. He has now won 9 souls in two rounds, 6 on Round 2 plus the initial stake of 3.

184 Elliptical; the meaning is: '[The stake which I lost was] those three souls before, let it (= the stake for this round) be worth six'.

189–98 Third round of *hasard*. As the winner, P continues to throw first and again scores a winning *hasard* (the precise number not being stated) and collects an additional 12 souls, being J's doubled stakes (193); and these added to his previous winnings of 9 make 21, which the author states as 3 (= initial stake) plus 18 (198). Cf. note to l. 156.

190 'If I increase the stake, will you match it (= increase yours too)?' Cf. Semrau, pp. 80–1.

192–3 *ge te doi*] *tu me doiz* B, *je te doi* A. A's rhyme is correct; if B's reading were adopted, the line would have to be given to St Peter.

The whole sentence is elliptical: ' "Those nine which I owe you [I lost] earlier on (= in the two previous rounds), let it (the stake for this round) be worth twelve to him who may win it" '.

193 *qui qui* A, *que qui* B. A's reading adopted = *cui qui*.

194 'Said St Peter: "A curse upon the one who gives up".'

199–210 J admits himself beaten at *hasard* but is inclined to attribute his dreadful luck to P's cheating, and proposes a different kind of dice-game, *plus poinz*. From l. 208 we learn that the players could each throw once (= 3 dice) or twice (= 6 dice). J chooses the one-throw variant, at which the maximum throw must be 18. The stake on the first round of *plus poinz* is set at 42 souls, being twice the number J has lost at *hasard* (210).

203 Elliptical: 'or [if you are not] you are cheating me [in some other way]'. The word *mespoinz* appears to have come from the adjectival use *dez mespoinz*='falsely spotted dice'.

205 *par le saint espir* A, *par seint esperit* B. Correction based on A to give satisfactory rhyme.

208 -*e* of *ce* elided. A has *Veus tu a .i. cop.*

211–22 First round of *plus poinz*. P throws first and scores 15 (213). J's throw (217) is a losing one as P gleefully points out (218–19). Exactly how many points he has is not clear, but it must be less than 15. If *sines* has its normal meaning (cf. Semrau, p. 62), we have 6 on each of two dice=12, and the third dice must show 1 or 2 only. If *sines* could have the meaning 'a total of 6' then P need not bother to see the third dice since it could not possibly raise 6 to an aggregate of over 15. Perhaps this might be a consequence of J's having thrown the dice *par le bellenc*='beside the gaming-board' (?) in such a way that only two dice were plainly visible.

214 P is thinking of what his winnings will total if his throw is successful: 21 at *hasard* plus 42 on this round of *plus poinz*. He breaks down this total into 3 won on the first round (i.e. J's *fardel*) plus 60 which will be the aggregate of winnings on all rounds after the first (cf. the reckoning in l. 198). It is to this figure of 60 that this line refers: 'he will make it worth 60' to him.

216 *Ge*] *Le* B, *Je* A.

221 *le trop des .iii.* B. This does not appear to make sense. We correct *le* to *ge* and read the end of the line as *destrois*, in conformity with *ie trop destrois* A. Semrau, p. 82, translates *estre destrois*, with this as the only example, as '*Pech haben*'='be unlucky'.

222 .*xliii.* B. This is clearly a scribal error for .*lxiii.*, the correct figure, given in l. 292.

223–290 The author interrupts his account of the gambling to describe a brawl that develops between the two players.

227 *asseïr* in its sense of 'cheating at dice' seems to imply that the dice once thrown are flicked over and thus 'arranged' in a certain manner, or else prevented from rolling freely (see Semrau, p. 75).

228 *Getez aval*: ' "Throw the dice down!" ', i.e. ' "Get on with the game!" '

232 *changier* means 'exchange' one set of dice for another, and possibly loaded, set.

243–4 In place of the poor rhyme A has *marcel : musel*.

250–1 ' "Come on then, take them and see if you can keep them!" ' The jongleur is threatening a struggle for St Peter's money, which he has said (ll. 248–9) St Peter will only take away by force.

260 *li* A, *le* B. Plainly a dat. is required. B's reading is probably an error, but there is a rare N. and NE. dat. pl. *les* < *illis* (see M. K. Pope, pp. 490 and 493) of which *le* might be considered an analogical sing., if one were determined to maintain B's reading at all costs.

273 *s'il*] *sil* A, *cil* B.

280 As this line stands in B it would appear to presuppose a verb *atalentir* (beside *atalenter*) of which we have hitherto found only the past part. recorded. Translate: ' "I am very anxious [to play you] for it was you who first impugned my honour about the game . . ." ' i.e. it was you who started the quarrel, not I, so why should I not play, if you are now willing? To ll. 279–80 there correspond in A: *Se il vous plest et atalente | Dist saint pieres molt mest aente.*

287 'the lack of which (*donc = dont*) I shall feel sorely'.

291–334 Second round of *plus poinz*. Before beginning the round, P repeats that he is owed 63 souls, J agrees and, with calculations still based on the initial stake of 3 plus 60 won thereafter, sets the stake at twice 60, that is 120 (296). P throws 12 (312 and 313) and fears that he will lose the round by this feeble throw (316). However, J throws 12 also, two fives and a two (318), and P is thankful to note *cest rencontre* = 'this tie' (see Semrau, p. 43), and proposes doubling the stake to 240 (321), to which J agrees (323), for the play-off. The rules of the game obviously give the first thrower in a tie a deciding throw. P will win if his total exceeds 12; in fact he throws 13 (326) and wins, as J admits. No further details are given of subsequent rounds, but the game proceeds until P has won all the souls (355–7).

294 'I began the game too early', the sense probably being 'at an inauspicious moment' and hence bringing ill-luck (cf. Semrau, p. 138).

310 We give this line to the jongleur, though there is no indication of the change of speaker (and for this cf. ll. 297 and 298). To give l. 310 to St Peter, as MR do, makes him tell the jongleur to throw the dice and nevertheless proceed to do so himself. If *mesprison* = 'sharp practice' the reference would be to J's suspicions of P's play; if = 'apprehension' the reference is to P's fear of his winnings not being paid.

318 *dels* for *deus*, with wrong back-spelling.

319 St Peter is overjoyed that his throw has not been beaten, and he says that there must be a further round to decide the tie which has occurred, and proposes that the stakes be doubled—they play for twelve score instead of six score souls, *fiere ou faille* 'win or lose all on the throw'.

327 *j'ai bien geté* A] *ge la joe* B. *joer* can mean 'throw' (cf. *gieu* = 'a throw', l. 316), and we might base an emended reading *ge l'a[i] joé* on B.

347 *ainz la nuiz serie* seems to mean 'before night is come', with *seri* having the force of *aseri*. The normal meaning 'calm, peaceful' does not fit this context well.

350 *or n'i a plus* 'nothing remains', 'there is nothing else for it'; with this the jongleur throws caution to the winds and suggests playing for the rest of the souls.

356 'He has led the jongleur such a dance.'

358 *granz routes* A] *grant route* B.

379 'I never got the upper hand', 'was never able to win'. Cf. Semrau, p. 105.

385 On the invariability of the p.p. in this position, see F. Brunot, *Histoire de la langue française*, Vol. I, p. 478; and for further examples see Villon, *Œuvres*, ed. L. Thuasne, Vol. III, p. 576.

391–6 These lines are not in A and may well be an invention of B. In ll. 395 and 396, the erroneous plurals *aporteront* and *joeront* of the MS. have been corrected to singulars.

409 *Vuidiez*] *Widiez* B.

XV. DU CHEVALIER QUI RECOVRA L'AMOR DE SA DAME

MS. Berne 354 fo. 160b–162c. (C)

This charming courtly tale is really a fabliau in little but name, but we print it as a representative of that small group of texts referred to in our Introduction which, reflecting the tastes of a cultured minority, stand on the periphery of the genre. The poet's attribution of the story to Petrus Alphonsi (l. 248) is quite unwarranted, since nothing similar exists in the *Disciplina Clericalis* or in its vernacular translations (for this work see our notes to I). There is, on the other hand, some connection, first indicated by E. Martin, with the thirteenth-century German 'Versnovelle' *Moriz von Craûn* (see *Zeitschrift für deutsches Alterthum* XXXVI, 1892, p. 203). Both texts and another Low German tale appear to be derived from a common source.

Edition: MR VI, 151.

See also: MR VI, p. 254; *HLF*, Vol. XXIII, pp. 116 and 176.

———

There are a number of weak rhymes in this poem: *cengle* : *ensanble* 77–8, *morne* : *orme* 91–2, *detranchiez* : *laissié* 103–4, *cochiez* : *ennoié* 121–2, *coude* : *bote* 155–6, and *chancre* : *chambre* 189–90.

4 *l'escriture*=the poet's written source.

8 *li*] *lui* C; *el*] *il* C. These corrections to fem. prons. are required by the general sense (it was the knight who was anxious to make the lady feel convinced of his love for her) and by the adj. *certaine*.

10 *i[l]*. As the pron. *il* was pronounced [i] before a consonant here and in ll. 72 and 141, correction is not really called for; the restoration of *-l* makes comprehension easier for the reader.

13 ff. It was a commonplace of courtly romance for the knight to prove himself in armed prowess (usually in a tournament) before daring to ask for the lady's favours.

17 *D'amor*] *Samor* C.

22 'that he will never win her love'.

25 'and if he can be successful in their use', i.e. joust successfully.

52 *qui veïst*. A common use of *qui* + *subj*. The exclamatory meaning 'It was a wonderful sight to see . . .' comes from 'Who then had seen . . .!', whence 'You should have seen . . .!'

72 'on whomsoever the cost may fall', 'whoever might pay the price'.

73 *Lores s'eslaisse*] *Lors laisse* C.

90 *l'achoison*] *la choison choisō* C.

92 Evidence in Church documents from the end of the twelfth century onwards shows that those slain in tourneys were denied burial in consecrated ground. For actual cases see A. Schultz, *Das höfische Leben zur Zeit der Minne-*

singer, Vol. II, Leipzig, 1889, pp. 114–15; cf. also *Des .iii. chevaliers et del chainse*, MR III, 71, ll. 174–6.

97 *un garz*] *.ii. garz* C. This form alongside the earlier obl. sg. *garçon* shows the development of two nouns from the original imparisyllabic declension; cf. *sire*, *seignor*, and *ber*, *baron*.

98 and 100 The occurrence of repeated conjunctions is not uncommon in O. Fr.

103–4 'even if I were to be cut to be pieces, it will not be left undone (i.e. her summons will be obeyed)'.

122 *ennoié*] *enuoie* C. We adopt MR's correction.

124 *atenir*] *a tenir* C. We take *atenir* to be *astenir*, *abstenir*.

125 The lover falling asleep while waiting for his lady is a common motif in folklore and in medieval literature (cf. A. Jeanroy, *Les Origines de la poésie lyrique en France au moyen âge*, Paris, 1899, p. 108; Stith Thompson, *Motif-Index of Folk-Literature*, Vol. II, Helsinki, 1933, p. 300—motif D 1972). A. Dickson (*Valentine and Orson: a study in late medieval romance*, New York, 1929, p. 94, note 78) mentions as a frequent episode in the Grail romances the hero's falling asleep at critical moments whereby he loses his lady's love.

127 *lo jor* 'that day', def. art. with demonstrative force.

130 *A lui*] *En lui* C.

149–51 'I know full well that even if any one had given him a hundred pounds [to do so], he would not have acted in this way.'

155 The alternative O. Fr. form *coute* would provide a correct rhyme.

189 'he had no ulcer on his legs', i.e. he was extremely agile and swift.

191 Only a hiatus *costumë ardoir* will make this line scan.

196 *veüe* 'light, brightness', either the light reflected from the drawn sword or possibly light streaming in through the door which the knight must have opened wakes the husband and makes him open his eyes.

203 Lacks one syllable. MR corr. to *matinet*.

205 *qui?* 'what', neut. interrogative.

207 *n'en istra*] *në nistra* C.

224 I.e. it is no true ghost, but a phantom or some noisome animal. In *Car s'est* we take *s'* = *si* 'For it is indeed', or=*c'*.

227 *fais*] *fait* C. *Non fais je*=emphatic negative 'No, I am not'.

228–9 The knight's words are intended to prove that he is a true apparition and not an evil spirit playing tricks.

232 *ceste*] *cist* C. Scribal error induced by *cist coroz*.

236 'for if I am suffering now, indeed I should suffer worse'.

GLOSSARY

References are not exhaustive. Cross-references are not normally given for the simpler variations such as *en* : *an*. Verbal forms are normally listed under the infinitive, and if this form actually occurs in the text it is followed immediately by a line-reference. An asterisk indicates an explanation or comment in the Notes. The Glossary is selective; words easily recognizable from Modern French have not been entered.

a, *prep.* of (possession) II 11, III 75, VI 145; from (ind. obj.) XIV 136; with (instrument) II 4; with (=against 'joust with') XV 71, (*parler a*) XV 100; with, in, by (manner) II 8, IV 83, X 32; to (motion) V 271; at, in (position) VIII 3; on (*a deus piez*) IX 38; in the name of (with saint) XIII 162; **a tot** XI 19, **a tout** V 264, *prep.* with.

a=al (?) III 75*, XI 51*, 77.

aaige; v. **eage.**

abaissier, abasier, abessier, *v.a.* put down, calm XI 8; *v.refl.* bend down, put the head down VIII 46; bend IX 39.

abandonner, *v.refl.* give freely VIII 65.

achaper; v. **eschaper.**

achoison, *sf.* occasion, circumstance, reason XV 90, 140.

acliner, *v.a.* bend, thrust down VI 186; *v.refl.* bend down VI 78.

acointement, *sm.* company, society VI 22.

acointier, *v.refl.* fall in love, have an intrigue with VII 7.

acoler, *v.a.* embrace VI 111.

aconte, *sm.*; *de quel a.* on what grounds, wherefore XV 16.

acorchier X 40, *v.a.* skin, flay.

acorer IV 63, 76, *v.a.* strike to the heart, kill.

acourre, *v.n.* run up, come running XIII 196, XIV 46.

acueillir; *ind.pr.3* **aquialt** XV 192: *v.a.* lay hold of, seize VI 183; *a. a* (with inf.) begin VI 190; *a. sa voie* advance XV 192.

acunne; v. **aucun.**

adés, *adv.* straightway, always V 245, XIV 209.

adolé, *p.p.adj.* afflicted, stricken XII 12.

adonc III 36, XIV 290, **adons** X 140, *adv.* then, at that time.

aerdre IV 54, XIV 255, *v.a.* seize.

afaitié, *p.p.adj.* gracious, kindly X 45.

afeblïer XIII 346, *v.n.* grow, be feeble, weak.

afere, *sm.* affair, matter, business VI 92, XIII 34.

aferir; *ind.pr.3* **afiert** X 134: *v. impers.* be fitting, appertain XIII 39.

afichier, *v.refl.* hold oneself firm XV 63.

afïer, *v.a.* assure, affirm XIII 144, 226.

afoler, *v.a.* plague XV 225.

aguille, *sf.* needle IV 22.

aidier; *p.p.* **aidié** VII 70; *pret.1* **aidai** I 42; *subj.pr.3* **aïst** IX 27; *impve.5* **aidiez** V 236: *v.a.n.* (and with dat. obj.) help.

ainc, *adv.*; *a. mes* ever V 202.

ainsint; v. **ensi.**

ainz V 19, **ains** VII 103, **einz** XIII 29, **eins** XIII 30, *adv.* ever V 19; before, before that VII 103; *ne . . . ainz* never III 69, V 51; *a l'eins* *qu'il pot* as swiftly as he could XIII 30; *conj.* but, but rather II 16, V 161; *a.* que *conj.* before VI 142.

aïr, *sm.* anger, rage V 214.

aïrier, *v.refl.* grow angry XIV 233; *s'a vers qqn.* grow angry with XII 90.

aise, *sf.*; *a meillor a.* better off, in a happier position VI 112.

aiüe, *sf.* help IV 38.

alaine, *sf.* breath V 164.

alemande, *sf.* almond VI 124.

aler II 25; *ind.pr.1* vois VII 38, *3* vait I 11, vet XIII 330, va III 89, vai XI 77, *4* alon XIII 176, *5* alez I 51; *fut.1* irai I 21, irei XI 71; *cond.3* iroit VI 59; *subj.pr.6* voisent XIV 407; *impf.3* alast V 266; *impve.2* va V 267, *5* alez VI 169, alés XII 112: *v.n.* go; befall XIII 384; (with aux. *avoir*) IX 66; *v.refl.* go, set out; *s'an a.* (with cognate acc.) III 89; *v.impers.* fare VI 219, 220.

aleüre, *sf.* pace, speed XIV 410.

amandemant, *sm.* improvement (in a situation), comfort XI 82, 197.

amende, *sf.* fine, X 87, 122.

amender, amander, *v.a.* make amends for I 56; recompense, pardon X 158; *v.n.* profit X 16, XV 253.

amener; *ind.pr.3* amoine III 71, amaine VI 119; *fut.1* amanrei XI 49: *v.a.* bring, conduct.

amer VII 142; *ind.pr.1* aim XIII 280; *fut.3* amera: *v.a.* love.

amis, *sm.voc.* (term of address) V 137.

amont, *adv.* up, upstairs V 70.

an=en; v. also om.

ançois III 128, **ençois** I 76, **enceis** XIII 152, 206, *adv.* rather I 76; but on the contrary III 128; first, previously XIII 152; **ençois que,** *conj.* before XII 127.

ancor; v. encor.

andemain, *sm.* next day, following day XI 61.

andeus VIII 44, **endeus** XIV 103, *nom.* endui I 25, *adj.pron.* both.

anel, *sm.*; *fourbir l'a. a qqn.* have intercourse with VII 13.

anemi, *sm.* enemy X 95; devil XIII 98.

anfoïr; v. enfoïr.

antandre; v. entendre.

antecris, *adj.* infernal, damned, (from name Antichrist) V 180.

anui I 77, **enui** I 22, **ennui** XII 133, *sm.* trouble, vexation; *torner a e.* vex, offend XV 148.

anuier; *subj.pr.3* anuit XIV 177: *v.impers.* annoy, displease V 124.

anuit, *adv.* tonight, this night VI 134.

anuitier, *v.n.* grow dark, become night VI 49.

apareillier, appareillier, *v.a.* prepare VII 63, XIII 106; treat XIII 109; *p.p.adj.* in *bien apareilliez* of fine appearance XIV 127.

apenser, *v.refl.* bethink oneself of IV 21.

apercoivre VI 83, *v.a.* see, perceive.

apert, *adj.* open, plain; *en a.* openly, plainly I 67.

apertemant, *adv.* clearly, plainly XV 31; without more ado XI 179, 198.

aporter; *ind.pr.1* aport XII 35; *pret.1* aporté IV 46; *subj.impf. 3* aportat XII 139*: *v.a.* bring II 40; (absolute use) bring something V 58.

aprés, *adv.* after; *en a.* hereafter, later I 38.

aquialt; v. acueillir.

aquiter, *v.a.* secure the freedom of, get off (from a penalty) XIV 419.

araisoner, *v.a.* address XIV 75.

arc, *sm.* bow XIV 86*.

ardoir XV 191; *fut.1* ardré XIII 337; *subj.pr.3* arge XII 76. *v.a.* burn XI 210.

arengier XIII 325, *v.a.* draw up, line up.

arer XIII 79, *v.* plough XIII 111.

arestee, *sf.* delay XV 243.

argent IX 56, ergent XI 109, *sm.* silver IX 56; money VII 111, XI 131.

arrester; *pret.3* arrestut IX 31: *v. refl.* stop.

arrier V 100, arriers I 11, arriere IX 57, arrieres I 53, *adv.* back; behind XIV 365.

as=a+les II 11.

as, *sm.* throw of one (at dice) XIV 181, 326.

asazé, *adj.* rich, wealthy III 19.

asnier, *sm.* ass-driver II title, VI 104.

asseoir, asseïr, XIV 232; *ind.pr.3* assiet III 29; *pret.3* assist V 77; *subj.pr.5* asseoiz XIV 227: *v.a.* dine, entertain to a meal V 77; arrange (dice) XIV 227*, 232, 238; *v.refl.* sit down III 29.

asseüir, *adj.* sure, certain V 268; *adv.* in safety VII 49.

assez III 20, asez XIII 322, asseiz X 25, *adv.* greatly, a great deal III 134; a great deal, enough XIII 322.

assoux X 153, essos XI 113, *p.p. nom.* of assoudre absolved (of sins).

astele, *sf.* piece of wood, stick XIII 314.

atachier, *v.n.* catch, get caught III 113.

ataindre, *v.a.* seize, drag out V 162.

atalanter, *v.impers.* please, be to one's liking XV 82.

atalantir (?), *v.impers.* please XIV 280*.

atant, *adv.* forthwith, thereupon IV 51, VIII 20.

atargier, atarger XIII 168, atarjer, *v.n.refl.* delay, tarry; *inf.subst.* delay XV 201.

atendre X 28, attendre VII 27, atandre XV 39; *ind.pr.4* aten-domes XIV 340: *v.a.n.* await, wait, tarry; *s'a. a* count on, rely on XIV 340.

atenir XV 124*, *v.refl.* (with *que* ... *ne* + subj.) refrain from.

ator, *sm.* adornment, finery; *de grant a.* finely arrayed XIV 21; *de povre a.* ill-clad XIV 72.

atorner, atourner VII 45, *v.a.* get ready, prepare VI 58, 139; deal with VI 240; *a. son chemin* make preparations for one's journey IX 11; *a. sa besoigne* acquit oneself of an undertaking XV 244.

aucun III 98, acunne (fem.) XI 100, *adj.* some XIV 3; *pron.* anyone XI 9.

aune, *sf.* ell IV 17.

aüner, *v.refl.* assemble, gather VII 120.

auques, *adv.* somewhat V 147, XII 99.

ausi, *adv.* so; also; *a. com* in the same way as, just as IV 48; *a. bien ... con* as well, as fully ... as X 65.

autresi, *adv.*; *a. com* just as II 17, XIII 359.

autretant, *adv.* so much, as much XV 151.

auvernois, *adj.* of Auvergne VI 203.

aval, *adv.* down V 216, XII 32.

avaler V 125, *v.a.* cast down XI 176; *v.n.* go down V 125; (with cognate acc.) *a. les degrez* go down the steps V 156.

avancier VI 60, *v.a.* get on with, speed on, speed along VI 60*; *v.n.* go forward, progress VIII 72; *v.refl.* hasten VII 45.

avant, *adv.* (time) first I 28, XIII 178; (place) further I 34, XII 9; forward II 15, XII 122; in front XIV 365.

avantage; d'a. *adv.* besides, in addition X 5.

avenir, *v.n.impers.* happen, befall I 1, VI 235, XIII 115; *a. a* reach IX 36.

aventure V 5, **avanture** III 68, *sf.* interesting, unusual event III 68, V 5; story, tale V 44, VI 2; happening, fortune, fate XI 174; *estre en a.* be risked, hazarded, staked XIV 162.

aventureus, *adj.* lucky XIV 332.

aver, *adj.* miserly V 76, X 60.

aviere, *s.; ce m'est a.* methinks XIV 62.

avis, *sm.; ce m'est a.* methinks V 81, 179, XII 49.

aviser, *v.a.* espy V 133.

avoi, *interj.* (expressing surprise, dismay) XIV 314, XV 169.

avoir IV 60; *p.p.* eü V 291; *ind.pr.1* ay VII 32, *3* at X 5, ai XI 24, *4* avon IV 12, *5* aveiz X 96, avés XII 125; *pret.1* oi X 133, *3* ot I 63, out X 144, oit IX 43, *6* orent V 78; *fut.1* averai V 220, aroy VII 151, *2* avras V 143, *3* avra III 106, *5* avrez II 35, arez XIII 283, *6* avront VI 97; *cond.1* averoie VIII 36, avroe XI 244, *6* avroient V 87; *subj.pr.1* aie I 37, *3* ait V 282, *5* aiez X 113; *impf.2* eüsses IV 48, *3* eüst V 231, aüst III 51, eust XIII 344, *5* eussiez XI 125: *v.a.* have, possess V 16; *v.aux.* have; *v.impers* (+acc.) there is, there was; *en avoir* to be fooled, deceived III 110*; *v. refl.* V 14*; *inf.subst.* wealth, property IV 10, XIV 79; possession V 288.

avuec XIV 79, **avoec** V 65, **avoeques** VIII 54, **ove** XIII 288,* *prep.* with.

bacheler, *sm.* young man V 137.

baille, *sm.* servant XII 80.

baillier, *v.a.* give V 153, VI 179.

balancier, *v.a.* tip, throw V 218.

bandon, *sm.; tot a b.* impetuously IX 53.

barat, *sm.* deceit, treachery XI 40.

barate, *sf.* trouble, difficult situation XIII 302.

barnage, *sm.* nobles XII 32.

bas; *en bas* softly, in a low voice VI 75.

bastir; *b. un plet* come to an arrangement VI 40.

baut, *adj.* cheerful, merry XII 99.

beasse, *sf.* servant-girl XI 20.

beer; *ind.pr.1* bee X 112, *3* bee VIII 32, *6* beent X 3: *v.n.* desire, strive VIII 32; be speechless (?) X 112*.

bel VI 88, **biau** III 55, *adj.* fine, handsome V 11; fair III 55; *du plus bel* in the best possible fashion XI 216; *estre bel a* be pleasing to, please VI 88, VIII 15; *venir a bel a qqn.* please, suit XIV 295.

belement, *adv.* softly, quietly VI 93, 136.

bellanc XIV 130, **bellenc** XIV 134, *sm.* gaming-board XIV 217.

bendel, *sm.* bandage; weal V 228.

beneoit X 79, **benoest** XIII 282, *p.p.adj.* blessed, sanctified, holy; *eve b.* holy water III 73.

bercil, *sm.* sheepfold III 23.

besoigne XI 108, **besoingne** X 166, *sf.* extremity X 166; need XI 108; undertaking XV 244.

besoing, *sm.* extremity, case of need VII 159.

beu=Dieu (in expletive); *par les elz beu* by God's eyes XIV 199.

biau; v. bel.

biauté, *sf.* beauty V 21.

blanchoiier, *v.n.* appear, show up white III 96.

blasmer VI 245, **blamer,** *v.a.* blame, reproach, accuse VI 245, XIII 9; *v.refl.* reproach oneself IX 61.

blecier, *v.a.* wound, hurt IX 74.

bleif, *s.* wheat X 26.

boçu, *sm.* hunchback V 27.

boen=bon X 30, 49, 150.

boidie, *sf.* cunning XIII 385.

boivre XIII 136, **boire** VII 77; *p.p.*
beü X 132; *ind.pr.6* **boivent** VI
140; *fut.5* **bevrez** XIII 339: *v.a.*
drink; (figurative) X 132*.

bole, *s.* debauchery XIV 29.

bon, *sm.*; *avoir bon* wish, desire XIV
165.

bontei, *s.* kindness, service X 61, 90.

borc, *sm.* town II 7.

borce, *sf.* purse X 121.

borgois, *sm.* II 33, **borgoise**, *sf.*
VI 1, townsman, townswoman.

bouter, *v.a.n.refl.* push thrust IV 29,
XIV 266, VII 55.

brael, *sm.* belt (round the waist)
XIV 261.

braies, *sf.pl.* breeches, hose XIII
260.

briement, *adv.* briefly; *aler plus b.*
go the shortest possible way III
91.

brifauder, *v.a.* sell something and
spend the proceeds on food IV
71*.

bu=Dieu (in expletive); *por le saint
cuer bu* by God's holy heart V 206.

bués, (obl. pl. of buef), *sm.* oxen
XIII 3.

bufois, *sm.* pride, arrogance VI 20.

c'; v. **ce, que, qui, quoi,** and **se.**

ça III 65, **cha** XIII 214, *adv.* here,
this way VI 93; *or ça, interj.* XV
158.

çaienz XIV 372, **ceanz** V 177,
ceenz VI 153, **ceens** VII 22, *adv.*
in, in here.

car IV 61, **quar** II 24, *conj.* for; (used
with subjunctive with intensifying
force) would that, if only IV 72,
XI 64; (introducing imperative)
IX 87; (introducing exclamation)
XV 52.

çavetier; v. **savetier.**

ce V 251, **c'** III 6, **se** XV 199, **s'**
XV 139, **ice** XV 184, *dem.pron.
neut.* that, it.

ceens, ceenz; v. **çaienz.**

cel XII 25, **icel** XII 5, **cil** I 6, VI
162*, **celui** (tonic obl.) I 8, (dat.)
VIII 9, (obl. as gen.) III 89, **cels**
XI 257, **seux** X 2, **cele** II 28,
celle XI 59, **icele** IX 15, *dem.
pron.adj.* that, he, she, it.

celee, *sf.*; *a c.* secretly, furtively VI
68.

celer, *v.a.* conceal, keep secret VI 92.

cenbel, *sm.*; *porter le c. a* carry the
fight to, lead a merry life in XIV
24.

cengle, *s.* girth XV 77.

cens; v. **sanz.**

cerchier, *v.a.* visit, go the rounds of
IV 2.

ces; v. **son.**

cest I 30, **icest** V 229, **cist** I 19, **cis**
V 238, **cez** III 7, **ceste** III 69,
dem.pron.adj. this, he, she, it.

ceul=seul VII 48.

cha; v. **ça.**

chaaliz V 113*, **chaäliz** V 115, *sm.*
box bed.

chacer, *v.a.* drive II 8.

chaitif XIV 66, **chetif** VII 127,
cheitif XIII 50, **chaitive** IV
82, *adj.subst.* miserable, wretched
(person); *c. de prestre* wretched
priest VII 127.

chalengier, *v.a.* dispute, contest
XIV 214*.

chaloir; *ind.pr.3* **chaut** XIV 166;
subj.pr.3 **chaille** VI 173: *v.impers.*
(with dat. of the person and **de**+
inf.) be of importance, concern.

chamberiere, *sf.* serving-maid VI
147.

chanel, *sm.* water-course, canal V 88.

chaneviere, *s.* hemp-field VIII 52.

chanpïon, *sm.* professional fighter,
prizefighter XIV 49, 306.

chans=champs XIII 79.

chaoir XIV 256; *p.p.* **chaü** IV 31;
ind.pr.3 **chiet** II 16; *impf.3* **chaoeit** XIII 95; *pret.3* **chaï** XV 78:
v.n.refl. fall.

chape, *sf.* cape, cloak X 145, XI 157.

chapelet, *sm.* chaplet, garland XIV 31.

chaple, *sm.* fight; *ferir lo c.* engage in combat XV 66.

char, *s.* meat XIII 6.

chargier, II 3, *v.a.* load III 128, XII 100.

charne, *sm.* charm, spell XIII 367.

charner, *v.a.* cast a spell on XIII 366.

charriier V 114, *v.a.* carry around.

chartre, *sf.* prison, dungeon XI 177.

charue, *sf.* plough XIII 3; strip of ploughland XIII 160.

chascun V 117, chacuns III 13, chescon XI 173, *pron.adj.* each one, each.

chastel, *sm.* town, fortified town V 6.

chaucemente, *s.* footwear XIV 14.

chauces, *sf.pl.* breeches, hose XIV 10.

chaufer XIV 91*, *v.n.* get warm XIV 94.

chaut; v. chaloir.

cheitif, chetif; v. chaitif.

cherité, *s.* charity XV 178.

chescon; v. chascun.

chevallet, *sm.* horse, little horse, nag XI 19.

chevance, *s.* wealth X 3.

cheveceüre, *sf.* neck-opening (of shirt) XIV 263.

cheveler, *v.a.* tug out the hair of XIV 397.

chevir X 23, *v.refl.* enrich oneself; *se c. de* get out of, extricate oneself from (an awkward situation) VII 8.

chiche, *adj.* miserly V 76, X 60.

chief, *sm.* head VI 242, XIV 244; *venir a c. de* bring to a successful conclusion, succeed in XIII 334, XV 25*.

chier, *adj.* dear, precious V 288; *n.adj.* as *adv.* IV 74; *avoir c.* X 144,

tenir c. X 39 hold dear; *avoir plus c.* prefer XI 244.

chiere VI 77, chire XIII 173, *sf.* face X 143; *a. c.* lie joyfully V 93; *c. morte* with a deathly pale face XII 102; *a bele c.* cheerfully XII 146.

chierir, *v.a.* cherish VI 230, XIII 383.

chierté, *sf.* price, value V 289.

chiés VI 18, chiez X 9, *prep.* at the house of.

chos (obl. pl. of chol), *sm.* cabbages III 22.

ci, *adv.* here II 20, III 46; *ci endroit* right here, here on this very spot VII 103.

ciaus=cieux XV 212.

citouaut, *s.* zedoary, aromatic medicinal spice XIII 368.

clamer I 21; *ind.pr.3* claime I 23; *v.a.* call XIII 173; *c. quite* acquit of blame I 65, XIV 288; *se c. de* lay a complaint against I 21, 23.

clerc VI 13, clers VI 11, *sm.* clerk XI 1; *c. escolier* student VI 11.

clercgaut, *sm.* clerk (pejorative) VI 184, 240.

clergie, *sf.* schooling, book-learning XIII 386.

cliner, *v.n.* bend forward IX 39.

coart, *adj.* cowardly, timid XIV 164.

coi=quoi XI 110.

coillir, *v.a.* pick, collect III 95.

cointe, *adj.* clever VIII 25.

coitié, *p.p.adj.* hasty, over-eager XI 212.

col, *sm.* neck III 26, VII 125.

colier, *sm.* porter VI 12.

com II 17, comme VI 40, con X 66, *adv.conj.* as X 66; as, in the manner of VII 243; how VI 235, 240, XIII 54; when XI 240; *ainsi com* V 103, *ensi con* X 161, *autresi com* II 17, *si com* III 90 just as; *si com* since IV 69; *si comme il pot* as best he could VI 215; *tant com* as much as, as far as XI 34.

comander, commander XI 172; *ind.pr.1* **commant** XIV 102, **quemant** XII 117; *pret.1* **commandoi** XI 97, *5* **comandestes** XI 117: *v.a.* command XI 172, XII 117; commend, place under the protection of XI 38, 51, XIV 102.

commandie, *sf.* charge, protection XI 120.

commant, *sm.* order, will, desire IV 52; bidding V 273.

comment V 250, **conmant** XV 90, **coument** X 15, *adv.* how; *c. que, conj.* in what manner soever XIII 322*.

communalmant, *adv.* all together, in public XI 226.

compaigne XII 108, **conpeigne** III 5, *sf.* company.

compainz; v. conpaignon.

comparage, *sm.* promise XII 26*.

comparer; *fut.3* **comparra** XIV 388: *v.a.* pay (dearly) for.

compeignie X 49, **conpaignie** XI 223, **conpeignie** III 3, *sf.* company.

compere, *sm.* fellow I title*; friend XII 14, 15.

con; v. com.

concile, *s.*; **tenir** *c. a* hold converse with VI 208.

concillier; v. conseillier.

conduire; *subj.pr.3* **conduie** VI 161: *v.a.* guide, lead.

congeer; *impve.5* **congee** XV 152: *v.a.* dismiss, send away.

congié, *sm.* permission XV 36, 179.

conpaignie, conpeignie; v. compeignie.

conpaignon V 77, **conpeignon** III 126, **conpain** III 97, **compainz** XIV 327, *sm.* companion.

conpeigne; v. compaigne.

conporter V 243, *v.a.* carry, carry around V 220.

conquerre XIV 97, *v.a.* win, gain XIV 48.

conquest, *sm.* booty III 132.

conroi, *sm.* care, attention XIII 309.

conscïence, *sf.* what is on one's conscience X 137.

conseil X 109, **consoil** X 131, *sm.* reflection, deliberation X 109, 134; time for reflection X 113, 131, 133; secret, *a. c.* in secret, privily X 136.

conseillier, concillier X 136, *v.refl.* take counsel, think things over X 110, 136; resolve, come to a decision, adopt a plan XIII 51, 82; *v.n.* speak quietly, whisper X 147.

consivre; *ind.pr.3* **consiut** V 240: *v.a.* catch up.

consoil; v. conseil.

conte, *sm.* count, earl XII 58.

contenir, *v.refl.* behave, conduct oneself XIV 35*.

contëor, *sm.* counter, reckoner VI 181.

conter IV 4; *p.p.* **contei** X 89; *ind. pr.1* **cont** VIII 1, **conte** IV 78: *v.a.* narrate, tell III 70, X 89; count out VII 156.

contre, *prep.*; *c. lui* to meet him VI 48.

contredit, *sm.* argument, opposition XIV 212.

contret, *adj.* crippled, maimed XIII 342.

convenir; v. couvenir.

cop V 256, *pl.* **cous** XIII 185, *sm.* blow VI 172; throw (of dice) XIV 163; *toz cous* at every throw, always XV 227.

corage, *sm.* heart, mind V 237.

corocié, *fem.* **corocie** XIII 64, *p.p. adj.* full of sorrow, grieving.

coroz, *sm.* anger XV 219.

corre, *v.n.refl.* run III 61, V 132, 136; *c. seure* run at, attack XII 84; *c. sor a qqn.* overtake, come upon XV 87; **corant,** *pres.p.adj.* swift XV 58.

correcier, *inf.subst.* anger IV 35.

corroie X 125, **corroe** XI 66, *sf.* belt, strap XI 66; purse (attached to girdle) X 125.

cors, *sm.* body V 252, XIV 80*, 81*; *mon* etc. *cors* myself etc., my etc. person XI 113*, 124, 135, 159.

cors, *sm.*; *le grant c.* fast, at full speed V 148, 194.

cort I 26, **court** XII 50, *sf.* royal court XII 50, XIII 195; court of law I 26; courtyard III 62, XIII 157.

cortel III 27, **costiaux** (nom.sing.) III 104, *sm.* knife.

cortil, *sm.* small yard, enclosed garden III 22.

cortine, *sf.* bed-curtain VI 99.

cortois VI 2, **courtois** XIII 18, *adj.* pleasing, elegant VI 2; affable, of gentle, polished manners VI 19, X 45, XI 18.

cortoissemant, *adv.* courteously XI 81.

cosdre, coudre; *p.p.* **cosu** IV 48; *ind.pr.3* **qeust** IV 25; *impf.3* **cousoit** VII 21: *v.a.* sew.

coster XV 72, *v.n.* cost IV 74, XI 27.

costiaux; v. **cortel**.

costume, *sf.*; *estre c.* be the custom, habit XIV, 236.

costumier, *adj.*; *estre c. de* be in the habit of II 2.

cotele, *sf.* dress VI 32; tunic XIV 10.

couchier XIII 107, **cochier**, *v.a.* lay, place V 188; *v.n.* go to bed XIII 107; *v.refl.* lie down XV 164.

coulee, *sf.* blow XI 161.

coument; v. **comment**.

couvant VI 168, **couvent** VIII 11, *sm.* promise XII 24; *par c. que* (with subj.) VI 168, *par tel c. que* (with indic.) XIV 297, on the understanding that; *avoir c.* XII 36, *avoir en c.* VIII 11, promise.

couvenant, *sm.* agreement, arrangement VI 42, 43.

couvenir, covenir, convenir, *v. impers.* have to VI 236, X 92, XIII 236; *il me covient* I must VI 52; *v.n.* assemble (?) XIII 247*.

couvertoir, *sm.* bed-covering, bed-spread VI 121.

couvine, *sf.* design, plan VI 100.

covoiteux, *adj.* covetous X 44.

covoitier, *v.a.* covet, desire V 146, XIV 160.

creance, *sf.* firm agreement XI 42.

creanter, *v.a.* grant, agree to XIV 185, 398.

creveure, *sf.* crevice, crack VII 91.

crïer VI 197, *v.a.* cry, proclaim XI 17; cry out XIII 297; *c. merci* beg for mercy, forgiveness, indulgence VI 197, XIII 62, 96.

croire III 59; *p.p.* **creüz** V 15; *ind. pr.1* **croi** VII 165, *5* **creez** V 175: *v.a.* believe, believe in, esteem.

crois, *sf.* cross IV 66.

croq, *sm.* hook, boathook I 7.

cros, *adj.* hollow, in a hollow (?) XI 32*.

cuer, *sm.* heart III 50, V 206; *de c.* from the heart, sincerely VIII 9; *avoir le c. marri* be overcome with grief or anger XIV 258.

cuidier; *ind.pr.1* **cuit** III 82, V 19, *3* **cuide** IV 9, *5* **quidez** XIII 142; *impf.1* **cuidoe** X 26, *3* **cuidoit** III 50; *pret.3* **cuida** III 97: *v.* think; *je cuit* methinks VI 112.

cuir, *sm.* skin XIII 263.

cure, *sf.*; *avoir c. de* have a mind to V 274, XIII 149, XV 201; have use for XIV 404, 409.

cussançon, *s.* anxiety, worry XI 7.

dahez, dahaiz; *mal d.* cursed be, a curse upon XV 194, 239, 240.

damage; v. **domage**.

dan XI 228, **danz** XV 161, **dans** VIII 31, *sm.* title prefixed to name, Master.

dant, *s.* tooth, fang XI 59.

K

de, *prep.* concerning II 20; by VII
168, with (instrument) XIV 202;
than (after comparative) *mains de
lui* less than he III 110.

dé XIV 238, dez XIV 377, *sm.* dice.

debatre, *v.a.* beat XIII 183; *d. la
teste* worry XV 223.

debonnaire, *adj.* noble, gracious
VII 131.

debouter, *v.a.* attack, set about XII
48.

deçoivre VI 84, decevoir VI 64,
v.a. deceive.

dedenz V 218, dedens VII 56,
dedanz XV 112, *prep.* inside XIII
240; *adv.* inside VII 127.

deerrain, *adj.* last XIV 316.

defaut, *s.* misdeed X 122.

deferreté, *p.p.adj.* from which the
nails have come out XIV 19.

deffendre I 36, desfendre XII 43,
v.a. defend XII 43; forbid, deny
III 136, V 83; rebut a charge,
deny I 36.

definer, *v.a.* bring to an end V 285.

degré, *sm.* (outside) step, stair V 71.

dejouste, *prep.* beside XIII 159.

del III 38, do III 32, dou X 117=
de+le.

delai, *sm.* delay III 85.

delaier VII 136, deslaier XV 1, *v.n.*
delay; *inf.subst.* delay XV 35.

delez V 119, delés XIII 180, *prep.*
beside V 188, XIII 261.

delis, *sm.nom.sing.* of delit, delight,
pleasure V 17; favours V 120.

delivre, *adj.* free, released V 284,
VII 163.

delivrement, *adv.* promptly, quickly
XIV 93, 138.

delour=dolour, *sf.* grief XI 130.

dels=deus, *num.adj.* two XIV 318.

demaine, *adj.* own VIII 41.

demant; *estre en d.* be worried, perplexed XV 138.

demener, *v.a.* lead, take VI 120.

demenois, *adv.* immediately II 34.

dementer IX 69, *v.n.refl.* lament IX
69, XIII 120.

demeure, *s.; sans d.* without delay,
immediately VII 83.

demor, *sm.* stay, sojourn; *faire d.*
stay away, absent oneself V 106.

demorance, *sf.* delay XV 187.

demore, *s.* delay XV 48.

demoree, *s.* delay XI 80, XV 159.

demorer XIII 167; *fut.3* demorra
XIII 154: *v.n.impers.* tarry, linger
III 76, XIII 36; stay XIII 285; be
delayed XIII 154*.

denier, *sm.* sum of money XI 110;
pl. money IV 57, X 25, XI 254.

departir, *v.a.* share out XII 153; *v.n.*
depart XII 50; *v.refl.* break up
XV 94; *inf.subst.* parting, separa-
tion VI 210.

depecier XV 59, despecier VII 135,
v.a. break (to pieces), break up.

deporter V 244; *se d. de* cease, stop,
refrain from V 244.

derrier, *prep.* V 232; derrieres, *adv.*
IV 20 behind; *par deriers* behind
IV 19; *par derrier* behind one's back
X 12.

desachier, *v.n.* tug, pull XIV 266.

descarchier, *v.a.* unload, put down,
lift down V 217.

deschaus, *adj.* barefoot, unshod III
84.

discipliné, *p.p.adj.* beaten, chas-
tised VI 185.

desconfort, *sm.* distress, dismay II
18, IX 64.

desdire, *v.a.* contradict, gainsay XI
220.

desennaturer, *v.refl.* depart from
one's natural condition or station
II 50.

deservir, *v.a.* deserve, merit XIII 78.

deseur, *prep.* on V 97.

desfendre, desfandre; v. deffendre.

desfens, *sm.; fere trente desfens a*
refuse, say no to, many times VI
156.

desfere; *p.p.* desfés: *v.a.* kill XII 120.

deshaitié, *adj.* ill X 46.

desi que, *conj.* until XV 23, 114.

desleal, *adj.* faithless X 95.

desmesure, *sf.* excess; *a d.* exceedingly VI 5.

desnaturer II 51, *v.refl.* depart from one's natural condition or station in life, act contrary to one's nature.

desoz X 145, **desouz** V 191, *prep.* beneath; *adv.* (hanging) down.

despecier; v. depecier.

despendre, *v.* spend X 56, XIV 28.

despit, *s.* annoyance IX 1.

despoillier VII 52, *v.refl.* undress XIII 259.

despuis; d. que, *conj.* since V 280.

desrengier, *v.n.* disperse VI 142.

desrober, *v.a.* rob XI 191.

desroi, *sm.* misdeed, offence XI 206; *a d.* violently XII 84.

destourbier, *sm.* misfortune, vexation VII 5; mishap VII 90.

destroit, *adj.* acute, deadly VI 237; worried, unlucky (?) XIV 221*; (with p.p. force) harassed, tormented III 11.

desus, *prep.* on XIV 71.

desvestir, *v.a.* take off, remove X 185.

desvoier, *v.a.* thrust aside, push about XII 48.

dete; *de d.* not paid for X 55.

detranchier, *v.a.* cut to pieces, dismember XV 103.

detrïer XIII 272, *v.n.* delay, tarry.

deus VII 14, *nom.* **dui** III 1, *num.adj.* two.

devant, *prep.* (temporal) before VIII 4; *adv.* before, previously (time) III 136; ahead (position) V 158; *par d.* before, in front IV 18; to one's face X 13; **devant que,** *conj.* before (time) IX 84.

deveer, *v.a.* forbid XIV 300.

deviser, devisser XI 259; *ind.pr.1* **devis** V 18, 74: *v.* tell, narrate XII 135, XIV 354.

devisse, *s.* arrangement, manner XI 36; decision XI 240.

devoir; *ind.pr.1* **doi** III 56, *2* **doiz** IV 64, *3* **doit** I 56, *4* **devon** XIII 132, *5* **deveiz** X 135; *impf.3* **devoit** I 41, **davoit** XI 176, *5* **daviez** XI 154; *pret.1* **dui** III 10, *3* **dut** III 54; *subj.pr.2* **doies** V 269, *3* **doie** XV 72; *impf.3* **deüst** XV 20, *6* **deüssent** V 67, **deüssient** XV 11: *modal v.*; *v.a.* owe III 56; *v.n.* to be about to, be on the point of I 41; be likely to V 269, X 94.

devorer IV 75, *v.a.* curse.

dez; v. dé.

di, *sm.* day I 30.

dire V 26; *ind.pr.1* **di** I 67, *2* **diz** XV 119, *3* **dit** II 33, **dist** VII 119, X 165, *6* **dïent** II 19; *pret.1* **dis** XIV 283, *3* **dist** V 64; *fut.1* **dirai** V 4, **dira** XI 36, **diré** IV 5; *cond.1* **diroie** V 46; *subj.pr.1* **die** I 46, *3* **die** VI 34; *impve.2* **di** III 72: *v.* say, speak VII 106, XII 45; describe X 65.

dit, *sm.* thing said, anecdote, tale XI 6, XIV 3.

diva, *interj.* hey! IX 71, XIV 76.

do; v. del.

doien, *sm.* dean VIII 24.

dois=des, since XI 47.

dolent IX 73, **dolant** XV 81, *adj.* grieving, sorrowful XII 88.

doloir, *v.refl.* complain X 54.

dolz, douz, *adj.* fair, gentle X 107, XI 148.

domage XI 165, **domaige** I 32, **damage** X 6, *sm.* harm, injury, wrong IX 94, XI 165, 166.

don; v. dont *adv.* and *rel.pron.*

donc II 37, **donques** XIII 176, *adv.* then XIII 190; v. also **dont** *adv.* and *rel.pron.*

doner V 80; *ind.pr.1* **doing** VIII 27, **doins** XII 146, **doig** XIV 156; *fut.1* **donrai** V 143, **dourai** XII 65, *3* **dourra** VII 118; *cond.1* **douroie** XII 37; *pret.1* **doné** XI 119, *5* **donestes** XI 118; *subj.pr.1* **doig** XIV 244, *3* **doint** IV 77, XI 79; *impf.1* **donesse** XI 163, *2* **donesses** XI 109, *3* **donast** II 14; *impve.5* **dounez** XII 108: *v.a.* give II 14; *: 'tribute*, impute X 67; (*en*) *doner a qqn.* attack, beat VI 190.

dont, *adv.* then IV 35*, 51, XII 135; *conj.* therefore (and with weakened sense in questions) then IV 67, V 208.

dont VI 108, X 72, XIII 127, **don** III 10, IX 76, **donc** XIV 287, *adv. rel.* and *interr.pron.* whence, from which.

dornoier, *v.a.* pay court, make love to XIII 60.

dotance, *s.* doubt XV 23.

dou; v. **del**.

doublëor, *nom.* **doublere**, *sm.* one who doubles VIII 59.

douter, **douteir** X 167, *v.a.* fear VII 24, X 167; *v.a.n.* be in doubt (about) I 51; *p.p.adj.* afraid XI 30.

dras, *sm.pl.* linen XIII 23; bed-clothes VI 118; clothes IV 49, XIV 286.

drecier, *v.n.* stand up IX 37.

droit, *sm.* justice I 49; right, law XII 6; due XIII 212; *faire d.* give justice, give true judgment I 33; *jugier le d.* judge the rights of the case; *adj.* right, correct, just I 57, real, true X 50; *adv.* directly, straightway; *tot d.* straight, directly III 77, V 158, XI 128.

droiture, *sf.* rights, what is legally due XI 173; right XII 21; *a d.* justly IX 26; straight out XIV 161.

duel, VI 218, **dul** XII 78, *sm.* grief, VI 218; vexation V 214, XII 76, XIV 224.

dui; v. **deus**.

durement, duremant, *adv.* greatly V 43, 265, XIV 361.

durer, *v.n.* last, go on XI 34.

dusques a VI 209, **jusq'a** XV 45, **jusqu'a** VI 61, **juqu'a** XI 77, *prep.* up to, until VI 209, VII 37; to XI 77, XIV 261; **jusc'outre** to a point beyond XIV 264.

eage VI 244, **aaige** XIV 38, *sm.* span of life XIV 38; *en tout son e.* in all his life, all his days VI 244.

effamé, *p.p.adj.* hungry, famished XI 58.

eins, einz; v. **ainz**.

el, *pron.neut.* else, anything else V 208; something else VI 105.

el=en+le I 8, III 29.

el=ele VI 33, XIII 83.

elz; v. **ueil**.

em=en X 68, XII 140.

emploïe, *fem.p.p.* of **emploiier**, *v.a.* make use of V 94.

emprendre, *v.a.* accept responsibility for, take charge of XII 136.

emputer; *p.p.* (nom.) **emputeiz** X 63: *v.a.* accuse.

en I 41, **an** I 50, *prep.* in I 41, 50; into IV 28, 55; on I 2; in the name of XV 178.

en; v. **om**.

enbatre, *v.a.refl.* push into IV 27, IX 79.

enbracier, *v.a.* embrace VI 111.

enbronchier, *v.a.* bend down; *e. la chire* cast the eyes down XIII 174.

enceis, ençois; v. **ançois**.

encerchier XI 188, *v.* seek, find out.

enchanter, *v.a.* bewitch, cast a spell on V 223.

enchargier, *v.a.* load IV 16.

enclin, *adj.* lowered, bent down VI 77.

encliner, *v.n.* bow X 14.

encombrier, *sm.* misfortune, disaster XV 87.

encontre, *sm.*; *bon e.!* (exclamation of pleased surprise) what luck! XIV 319.

encontre, *prep.* against; upon, flat on VI 171; *acourre e.* come running to meet XIII 196; *venir e.* come to meet VI 69.

encor III 36, encore VI 134, ancor X 71, *adv.* still III 36; still, further X 71; *e. anuit* this very night VI 134

encroëes, *p.p.f.pl.* of encroër hunched up V 36.

encuser, *v.a.* accuse, bear witness against V 138.

endeus, endui; v. andeus.

endroit, *adv.* precisely, just; *ci e.* right here, here on this very spot VII 103.

endroit, *prep.* towards; *chascuns e. soi* each for his part XV 55.

enelepas XIII 24, isnelepas II 16, *adv.* quickly, straightway XIV 325.

enfoïr, anfoïr; *p.p.* enfoÿ X 100; *ind.pr.3* enfuet VIII 67; *pret.3* enfoÿ X 41, *6* anfoïrent XV 92: *v.a.* bury.

engignier XIV 41, *v.a.* deceive XIV 67.

engin, *sm.* wiles, cunning VI 86.

engoisse, *sf.* distress, affliction III 18.

engoissier, *v.a.* torment, harry III 17.

ennoier, *v.impers.* be irksome XV 122.

ennui; v. anui.

enor; v. honeur.

enprendre, *v.a.*; *e. coroz et ire vers* grow wrathful and angry towards XV 232.

enquerre; *p.p.* enquis: *v.a.* enquire, ask VI 219.

enraja, *pret.3* of enragier, *v.n.* go mad IV 81.

enresdie, *sf.* stubbornness V 251.

enroment, *adv.* straightway XIII 193, 295.

ensanble, *adv.* completely XV 78, 144.

enseignier, *v.a.* point out, show VI 47, X 165; enseignié, *f.* enseignie, *p.p.adj.* clever VI 144.

ensement, *adv.* in the same way, similarly XIV 298.

enserrer, *v.a.* shut up VII 86.

ensi IV 84, ensin XV 245, ainsint XII 64, *adv.* thus XII 149.

ensseler IX 6, *v.a.* saddle.

ensuyvre X 2, *v.a.* imitate, model oneself on.

ent=en XIV 107, 141.

entait, *adj.*; *e. a* bent on V 40.

entalanté, *p.p.adj.* eager, enthusiastic XV 46.

entencïon, *sf.* skill V 31.

entendre V 2; *impve.2* enten V 137, entent XII 130: *v.a.* hear III 107, V 108; understand VIII 7; *v.n.* pay heed, listen V 2, 137; entendant, *pres.p.adj.* clever, wise XII 123.

entente, *sf.* understanding; energy X 22.

enteser, *v.a.* fit (an arrow) to the bow, the string XV 75.

entesté, *p.p.adj.* headstrong, purposeful V 147*.

entor II 29, entour VII 120, *adv. prep.* about, around XIV 364, III 9.

entre . . . et, both . . . and XI 187, XV 181.

entremetre, *v.refl.* undertake XIV 1.

entreprendre, *v.a.* seize XII 121.

entressaier, *v.refl.* try one's strength, struggle XIV 277.

enui; v. anui.

envïer; *ind.pr.1* envi XIV 168; *subj. pr.3* envit XIV 165: *v.a.* increase a stake XIV 190.

environ, *prep.* round about XII 47.

envis, *adv.* unwillingly XI 182.

envoisier, *v.refl.* amuse oneself, make merry V 104, VI 127; envoisié, *p.p.adj.* reckless XV 166.

enz, *adv.* inside V 154, XIV 415.

ergent; v. argent.

errant, *adv.* swiftly, at once V 154, VII 71, XIII 253.

errer, *v.n.* journey, travel; *estre errez* be on one's travels VI 45, 160, 161.

es=en+les V 127.

es vos; v. ez vous.

esbahir, esbaïr, *v.a.* astonish, amaze, frighten III 118; *v.refl.* be astonished V 130, VI 218.

escarlate, *s.* material (of fine quality) XIII 301.

eschaper I 55, **achaper,** *v.n.refl.* escape I 55, XI 153, 158*, 242.

eschars, *adj.* miserly, niggardly VI 191, X 44; *tot a e.* only, and no more XIV 163.

eschauder, *v.a.* scald, burn IV 72.

eschine, *sf.* side IX 76.

escïent; *a e.* intentionally, with real intent VIII 12.

esclicier, *v.a.* splinter, break to pieces XV 64.

escole, *sf.* school; *metre qqn. a e.* teach a lesson to someone VI 26.

escondire XIII 29, *v.a.* refuse, oppose.

escot, *sm.;* *a e.* with expenses shared, share and share alike III 9.

escout; *estre en e.* keep listening, listen VI 39.

escrin, *sm.* box, chest, compartment V 115*.

escriture, *sf.* written source, text XV 4.

escu, *sm.* shield (figuratively), protection (against poverty, etc.) X 150.

escuier, *sm.* squire, servant XIII 252.

esforz, *sm.* effort XIII 238.

esgarder; *impve.2* esgar VII 96: *v.a.* look at VI 79; perceive XV 131; *v.n.* look VII 96, XIV 196.

esgaré, *p.p.adj.* perplexed I 48.

esglise X 21, **yglise** VIII 3, *sf.* church VIII 3; church, living X 21.

esjoïr, *v.refl.* rejoice X 162, XIII 278.

eslaissier, *v.refl.* go, ride, charge at full speed XV 62; **eslessié,** *p.p.adj.* running at full speed V 167.

eslire, *v.a.* choose, pick out IX 41, XIII 336; **eslit,** *p.p.adj.* select, choice V 12.

eslongiez, *p.p.* of **eslongier,** esloignier away, gone away VII 42.

esmaiier, *v.refl.* be dismayed X 119; **esmaié,** *p.p.adj.* in dismay IX 73.

esmari, *p.p.adj.* sorrowful, woebegone XIV 360.

esmolu, *p.p.adj.* sharp III 104.

esmovoir; *p.p.* esmeü VII 173: *v. refl.; s'e vers* make a move against VII 173.

espairgnier, *v.a.* save, put aside X 155.

espandre; *ind.pr.3* espant V 258: *v.a.* spread, spill.

esperite, *sf.* spirit III 67.

espie, *s.* spy: *estre e. de* keep a watch on VI 33.

esploitier, *v.n.* hurry III 75; act XIII 38, XIV 125.

espoi, *sm.* spit; stake V 226.

esprover XI 142, *v.a.* test, examine IV 12; *v.refl.* put oneself to the test, give a (good) account of oneself XI 142.

essoigne, *s.* danger, harm XI 107.

essos; v. assoux.

estal, *sm.; s'arrester a e.* stop dead, in one's tracks IX 31.

estandre=attendre XI, 214.

ester III 115; *p.pres.* estant VI 171; *ind.pr.3* esta XIV 76; *pret.3* estut IV 40, *6* esturent I 48: *v.n.refl.* stand, remain IX 46; *en estant* upright, on one's feet VI 171; *v.impers.; comment t'esta?* how fares it with you? XIV 76.

esterlin, *sm.* coin (in English, sterling, currency) XII 74, XIV 137.

estes vos; v. ez vos.

estint, *adj.* dead, lifeless V 128.

estoire, *sf.* story, source IX 14.

estole, *sf.* stole III 73.

estout, *adj.* bold XII 64.

estovoir; *ind.pr.3* **estuet** II 9; *pret.3* **estut** XIV 39: *v.impers.* be necessary.

estraindre, *v.a.* clutch, squeeze VI 188.

estre III 54; *ind.pr.1* **sui** III 46, 4 **somes** XIV 65, **suemes** XI 217, 6 **sunt** X 9; *impf.3* **ert** III 4, **ere** XI 131, **iere** X 44, 6 **erent** XV 46; *pret.1* **fui** XIII 84, 3 **fu** I 6; *fut.1* **iere** XIV 221, 3 **iert** I 59, 5 **serés** XI 246, **seroiz** XIV 348; *subj.pr.1* **soie** VI 168; *impf.3* **fust** II 17, 6 **fusent** XIII 360: *v.* be, exist; **est** there is VII 172; *riens ne l'en est* it matters naught to him I 75.

estre, *sm.* place, position; home VIII 53; condition, state XIII 307; *a e.* in that place III 76.

estros; *a e.* at once, quickly XIII 156.

estudier, *v.refl.* take pains to XI 1.

eul = **el** = **en** + **le** XIII 138, 186.

eulz, *pron.* (3rd pers. pl. as tonic refl.) VII 46.

eür, *sm.* good fortune VIII 69, 70.

eure VII 81, **ore** III 137, *sf.* hour, time III 137; *en l'e.* straightway VII 81; *a l'e. bone!* good! capital! XI 48; **eures** IX 18, **ores** IX 81, *s.pl.* hours (prayers).

eve, *sf.* water III 73, V 88, VI 146.

example, *sm.* moral tale, example, illustration VIII 64.

ez vous V 105, **ez vos** XIV 362, **es vos** XII 88, **estes vos** III 121, *interj.* behold!

fable, *sf.* talk, discussion VIII 21.

fablel V 5, **flabel** IX 91, (nom.) **fabliaus** VIII 64, *sm.* fabliau VIII 64, IX 91, XII 2, XV 248; story V 5.

façon, *sf.* appearance V 39.

faille, *sf.*; *sanz f.* without fail XII 23.

faillir, *v.n.* fail V 164; fail, disappoint XI 56, XII 24; *fiere ou faille* win or lose XIV 321.

fain, *s.* hay IX, 10.

fain III 12, **fein** XIII 88, *sf.* hunger III 12, IX 9; desire, longing IX 29, 82.

faindre, *v.refl.* hesitate, shirk XIV 122.

faintise, *sf.* pretence, deceit XIV 143.

faire I 22, **fere** V 21, **feire** XI 53; *p.p.* **fet** V 102, (obl. pl) **fais** X 160; *ind.pr.1* **fas** XII 44, 3 **fet** XIII 149; *impf.3* **fesoit** VIII 6; *pret.1* **fiz** VII 65, 3 **fist** I 13, 5 **feïstes** XIV 285; *fut.5* **feroiz** III 86, **ferois** XIII 287; *cond.1* **feroie** VI 158; *impve.4* **faison** XIV 276, 5 **fetes** XIII 310; *subj.pr.3* **face** VIII 39, 5 **faciez** XII 127; *impf.3* **feïst** V 19: *v.a.* do, make I 22, V 19; say I 29, II 30; *modal v.* (+ inf.) cause (to be done) I 13, V 80; *v.vicarium* III 86, V 67; *avoir que fere de (a)* have to do with, be concerned with V 21, XIV 85; *ne fait pas a croire* is not to be believed X 116.

faiture, *sf.* form V 33.

faloir, *v.n.* be lacking V 276; fail X 121; *s'en faut poi que ge . . .* I am within an ace of . . . XIV 243.

fame VI 55, **feme** IX 62, *sf.* woman VI 55; wife IX 62*, XIII 8.

fardel, *sm.* stake (in dice-game) XIV 156*.

fein; v. **fain**.

felon I 68, (nom.) **feus** XIII 76, *adj. subst.* wicked, evil-doer.

felonie, *sf.*; *par f.* treacherously XI 159.

fendre, *v.n.* burst XII 116.

fenir; *ind.pr.3* **fenit** III *explicit*: *v.n.* come to an end, finish IV *explicit*.

fere, feire; v. **faire**.

ferir VI 195; *p.p.* feru XIV 266; *ind. pr.3* fiert I 8; *pret.3* feri I 31: *v.a.n.* strike XIII 73, XIV 266; *v.refl.* push oneself IV 33; *f. lo chaple* engage in combat XV 66; *fiere ou faille* win or lose XIV 321.

ferm, *adj.* faithful X 18.

feste, *sf.* feast, holiday V 65; joke X 118; *faire f.* make a display, show X 13; rejoice XIII 274.

feus; v. felon.

fiance, *sf.* faith, promise, guarantee XI 41, 74.

fiancier XIV 393, *v.a.* promise V 145.

fichier, *v.a.* stick in I 9.

fien II 39, fiens II 3, *sm.* dung.

fierement, *adv.* vigorously, loudly V 107; violently V 213.

fil III 39, (nom.) filz III 67, fiz III 55, *sm.* son.

finer, *v.a.* finish XI 143; die, expire XII 54; *v.n.* cease one's efforts XV 45; stop XV 154.

fisique, *sf.* physic, medicine XIII 146*, 218.

fisitïen, *sm.* physician X 50.

flabel; v. fablel.

flairor, *sf.* smell II 41.

flatir, *v.a.* cast, throw VI 199.

foi, *sf.* faith III 56; *en la foi* i'faith XIV 58.

foie, *sf.* time, occasion XII 97, 134.

foier XIII 271, fouier V 113, *sm.* fireplace V 113, XIII 271; furnace XIV 92.

foille, *s.* arrow-head, arrow XV 74.

foillir V 270, *v.n.* put forth leaves.

foïr XI 68; *pres.p.* fuiant IX 58; *ind. impf.6* fuioient III 119: *v.refl.* flee.

foiz, *sf.* time V 235; *a la f.* occasionally XIV 17.

fol III 25, (obl. pl.) fous III 21, (nom.) foz X 123, *adj.subst.* foolish, stupid, crazy, fool.

fole, *sf.* crowd, IV 27.

folie, *s.*; *de f.* foolishly, to no purpose V 37.

folleur, *s.* stupidity, stupid thing VII 123.

fonde, *sf.* sling IX 21.

force; *a f.* by force X 32.

forche, *sf.* fork, pitchfork II 37.

forches, *sf.pl.* gallows I 69.

forgier, *v.a.* mint XIV 155.

forje, *sf.* forge III 105.

forment, *adv.* greatly, sorely V 130, VII 44, XII 88.

fornel, *sm.* furnace XIV 174, 366.

forrage, *sm.* hay, fodder XI 28.

fors, *adv.* out, outside III 83, XIII 239; except XIII 335, XIV 65; f. de, *prep.* except for XIII 190; f. que, *prep.* except XI 205.

fort XI 35, (f. pl.) fors XI 10, *adj.* great, violent XI 10; strict, stern XI 35; fors, *adv.* hard VIII 49.

fortrere, *v.a.* seduce XIII 47.

fouier; v. foier.

fouler, *v.refl.* force oneself, push oneself IV 28.

fourbir; v. anel.

foz; v. fol.

franc VII 4, (nom.) frans VII 17, *adj.* worthy, honest.

froëz, *p.p.nom.* of froër, froier, *v.a.* break, smash VII 118.

froissier, *v.a.* knock about XIV 391.

froit, *sm.* cold I 63, III 12.

front, *sm.*; *el f.* opposite IX 35.

fu V 188, feu XIV 89, *sm.* fire XIII 245.

fumer II 4, *v.a.* manure.

gaaignier XIV 68, gaaingnier, *v.a.* gain, obtain III 133; earn X 154; win XIV 136.

gaain, *sm.* loot, booty III 98.

gab, *sm.*; *a gas* jestingly, jokingly XIII 148; *sanz gas* joking apart, truly VI 14.

gaber XIII 149, *v.a.* make a mock of V 170, XII 145; *v.n.* joke III 134.

gage, *sf.* pledge VI 91, XI 208, 213.

gagier XI 164, **guagier** XI 122, *v.a.* seek restitution from XI 199, 207.

gaires, *adv.*; *ne* . . . *g.* not . . . much III 76.

gaitier, *v.a.* watch for, look out for XII 61.

galoie, *sf.* liquid measure of variable amount VI 167.

garant; *a g.* safe, secure XIV 415.

garce, *sf.* girl XV 144.

garde X 128, **guarde** XI 96, *sf.* watch, protection XI 96, 209; *n'avoir g. que* (+ subj.) have no fear that X 128; *se doner g. de* suspect VI 80; *se prendre g. de* be on the watch for XV 109.

garder XII 26, **guarder;** *subj.pr.3* **gart** XI 107, 257: *v.a.* keep, retain VII 100; keep, protect VII 160, XIII 54; *v.n.* look I 4, VIII 56; take care VII 175, XI 158; *v.refl.* take care, be on the alert III 64.

garir VI 154; *fut.1* **guerrai** XIII 226, **garré** XIII 319; *cond.1* **garroie** VI 157; *impve.5* **garisiez** XIII 310: *v.a.* cure II 31, VI 234; *v.n.* recover, get better VI 229, XIII 216; remain undisturbed, unmolested VI 154; escape VI 157.

garison, *s.*; *estre a g.* be safe and sound IX 89.

garz, *sm.* serving-boy VI 146, XV 97, 105*.

gastel, *sm.* cake VI 205.

gavïon, *sm.* throat, gullet XIII 138, 232.

ge=**je** I 20, IV 7.

gel=**ge**+**le** II 32.

gengibre, *s.* ginger XIII 368.

gent, *sf.* men, servants VI 65; people VII 112, IX 95; *pl.* **genz** II 19, **gens** VII 121, people II 19, VII 121; servants VI 97.

ges=**ge**+**les** XIV 104.

gesir V 205; *pres.part.* **gissant** XI 63; *ind.pr.3* **gist** V 20;3 *impf.3*

gisoit VI 214; *pret.3* **jut** V 200: *v.n.refl.* lie.

geu VI 123, **gieu** XIV 200, *sm.* game VI 123, XIV 172*, 200; throw (at dice) XIV 316; *tenir a geu* take as a joke V 234; *partir deus geus* offer a choice XI 229*.

giter XIV 61; *ind.pr.1* **giet** XIV 216, 3 **giete** IX 21; *impve.2* **gete** XIV 175: *v.a.* throw III 103, V 159; let fall, drop IV 50; *v.n.* cast, hurl IX 21.

gloton, *sm.* rogue, villain XIV 241.

gorge IV 73, **gorje** III 106, *sf.* throat VI 187.

gote IV 61, **goute** IV 62, *sf.* drop; *ne* . . . *g.*, *adv.* of neg. IV 61, XIV 142; *male g.* dire malady, disease IV 62.

goule, *sf.* neck, throat XIV 106.

graignor IV 65, **greignor** XI 78, **greignour** XI 163, *adj.* (comp. and superl. of **grant**) greater, greatest IV 65, XI 78, XIII 344.

grant, *adj.* big; large amount, number of VII 99, 111, 120, X 72, XI 24.

grax=**gras** III 35.

gré V 277, **grez** V 152, *sm.* wish, desire VI 159; *a grez* acceptably, to one's liking; *servir a grez* render a very great service V 152; *a son gré* to his satisfaction V 277; *savoir gré a* be thankful to VI 126; *venir a gré a qqn.* suit, please XIV 279.

grenon, *sm.* moustache XIV 128.

grever; *ind.pr.3* **grieve** V 184; *subj.pr.3* **griet** III 30: *v.* afflict, harm, injure III 30; trouble, be a nuisance to V 184, VIII 55.

grevous, *adj.* grievous III 8.

grief; *estre g. a* cause worry, anxiety to XV 26.

guagier; v. **gagier.**

guerrai; v. **garir.**

guerre, *sf.* war XI 12; *prendre g. a* attack, take something up with XI 121.

guerredon, *sm.* reward X 75.

guetier VI 168, *v.* watch over, protect.

guile VI 62, **guille** IV 21, *sf.* ruse, trick XI 40.

guilerres, *adj.subst.* deceitful, trickster XIV 230.

guise XV 234, **guisse** XI 153, *sf.* manner, fashion; *en nule g.* in any way XI 153; on any account XV 234; *a vostre g.* as you wish XI 239.

hai, *interj.* XI 150.

haïr; *ind.impf.3* **haoit** XI 12: *v.a.* hate.

haitié, *f.* **haitie,** *p.p. adj.* joyful, merry VI 50, 138, XIII 63.

halt; v. **haut.**

hanter, *v.n.* frequent VI 18.

harnois, *sm.* baggage, equipment VI 216.

hasart, *s.* name of throw at dice XIV 179, 197. See notes on XIV 129–369.

haterel, *sm.* nape of the neck, head V 227.

hauberc, *sm.* hauberk XV 54; v. also **rouler.**

haut, halt, *adj.* eminent VII 173; important XII 122; *adv.* high up IX 34; *en h.* aloud IV 36.

herbe, *sf.* herb II 42, VI 233.

herbregier VI 59, *v.a.* lodge VI 16.

hez, *interj.* gee up! II 9, IX 50.

home, hom, hon; v. **ome.**

honeur X 1, **honour** X 61, **enor** XV 212, *s.* honour XV 212; *a h.* respected, in comfortable circumstances X 1; *faire h.* pay respect X 61.

honir, *v.a.* having false shame V 192, X 82.

honte, *sf.* shame IV 65, XII 40; *male h.* foul shame, dire disgrace IV 77, XII 131.

honteus, *adj.* put to shame, reluctant to interfere VII 47*.

hors, *adv.* outside VI 198; out VII 158; **hors de,** *prep.* out of VI 226*, VII 10.

houle, *sf.* house of ill-fame XIV 30.

houlier XIV 418, **holier** XIV 394, **hoilier** XIV 120, *sm.* lecher.

huchier IV 36, *v.a.* call III 60; *v.n.* cry out IV 36, XIV 338.

hueil; v. **ueil.**

hui IV 63, **oi** XII 19, *adv.* today, this day XII 134; *hui matin* this morning IX 80.

huimais XIV 209, **huimés** V 208, **imés** XIII 228, *adv.* henceforth, today V 208; henceforth XIII 228, XIV 209, 222.

huis, uis, *sm.* door V 56; gate III 33, VI 46; *prendre l'uis* go out through the door XIII 350.

hure, *sf.* shock of hair V 34.

hurter, *v.a.* knock, beat VII 53; prod, poke XV 132.

i, *adv.* there I 64; *pron.* (=a+lui) VI 157, X 142, XII 56.

iauz; v. **ueil.**

ice; v. **ce.**

icel; v. **cel.**

icest; v. **cest.**

ier, *adv.* yesterday III 105, XI 47.

ilec; v. **iluec.**

illier, *s.* side (of the body) XIV 255.

iluec III 52, **ilueques** I 45, **ilec** VII 88, *adv.* there II 18; then XIV 269.

imés; v. **huimais.**

inelement, *adv.* swiftly XIII 378.

ire, *sf.* anger, wrath, vexation V 214, IX 1, XI 7, XII 46.

ireement, *adv.* angrily V 215.

irier XII 144, *v.refl.* grow angry; **irié** XII 83, **iré** XIII 139, *p.p.adj.* enraged.

isnel, *adj.* quick, quick to act VII 12.

isnelepas; v. **enelepas.**

issi, *adv.* thus IV 12, XIII 209; *i. com* in such a way as XIII 335.

GLOSSARY 129

issir VI 108; *ind.pr.3* ist V 122; *impf.3* issoit VII 128; *pret.3* issit XI 57, 6 oissirent XIV 97; *fut.3* istra XV 207, ſ istrez XIII 157; *subj. pr.3* isse VI 182: *v.n.* go out, get out.

itel; v. tel.

ja V 3, jai X 46, *adv.* formerly II 1; already V 172; now III 60; very soon VII 113; ever X 46; as intensifying particle (with temporal meaning weakened) of affirmative VI 185, XI 181, of negative XI 86; *ne ... ja* never I 59, V 3; v. also **mais.**

jamais XV 207, jamés I 71 never; *ne ... j. jor* never I 71, VI 173, XV 207; v. also **mais.**

jehui, *adv.* today; *j. matin* this morning XV 203.

jel=je+le XIII 226.

jes=je+les XIII 366.

jo=je+le XV 220.

joe; v. **joie.**

joëor, *sm.* gambler XIV 418.

joër XIV 133, jouer VII 104; *ind. pr.4* joöns XIV 162: *v.n.* gamble, dice XIV 133; *j. de* make use of VII 104; *vouloir j. d'autre tour* want to change one's tactics, have something else in mind VII 69.

joglëor XIV 356, jouglëor XIV 131, juglëor XIV 4, *nom.* juglerres XIV 78, jouglerres XIV 101, jougleres XIV 167, jogleres XIV 175, joglerres XIV 195, joglierres XIV 269, *s.m.* jongleur, minstrel.

joglerie, *sf.* jongleur's trade, tricks XIV 385.

joie IX 48, joe XI 78, *sf.* joy.

joint, *p.p.* of **joindre,** hold in position XV 61.

joïr XIV 275; *j. de* get pleasure or use from, make use of.

joli, *adj.* gay, jolly, wanton VII 7, 175, XI 1.

joneit, *adj.* young VII 171.

jor, *sm.* day I 2, XIV 100; *jamais jor*; v. **jamais.**

jornee, *sf.* day's work V 279; day's journey VI 60.

joster XV 71, *v.n.* joust; *j. a qqn.* joust with XV 71.

jouchier VI 115, *v.n.* wait, kick one's heels.

jugier, *v.n.* give judgment XI 215.

juqu'a, jusq'a; v. **dusques a.**

jurer, *v.a.* swear by XIV 143.

jus, *adv.* down III 103, V 267.

justise XI 169, justisse XI 35, *s.* judge XI 169; justice, judge (?) XI 35.

jut; v. **gesir.**

l'=li (dat.) I 75, V 256, VI 34, 126, X 14.

laborer, *v.n.* work III 137.

laidir XIII 374, *v.a.* ill-treat.

laier; *ind.pr.3* lait IV 51, let IV 54, lest VI 154; *fut.1* lairai X 42, ſ lerroiz XI 37: *v.a.* leave IV 51; let, permit IV 54; *v.n.* give up XIV 194; *l. chaoir* let fall, drop XIV 256.

laigne, *s.* wood, firewood XIII 321.

lais, *sm.* legacy X 170.

lais; v. **lait.**

laissier, laisier XII 119, lessier XI 231; *ind.pr.1* lais X 169, 3 lesse VIII 45; *pret.3* laissa III 114, lessa VI 114, laissat X 40; *fut.1* lesserei XI 50; *subj.impf.2* lessases XI 110: *v.a.* leave XI 50, XII 119; leave out, omit XV 104*; bequeath X 157; abate, forgo XI 110.

lait, *nom.* lais V 39, *fem.* laide V 33, *adj.* ugly.

lardier, *sm.* meat-safe VII 56.

larron I 69, *nom.* lerres IV 20, lierres XIV 383, liere XIV 246, *sm.* thief XI 44, XV 50.

lart, *sm.* bacon V 78.

las, *fem.* **lasse, lase,** *adj.* miserable, wretched XII 52, XIII 81, 83; *le las de prestre* the wretched priest VII 86.

lasniere, *s.* tatters XIV 16*.

lasus (=la sus), *adv.* up there VI 165.

laton VII 101, **latin** VII 96, *sm.* Latin.

lé, *fem.* **lee,** *adj.* broad V 35, XII 109, XIII 72.

lealment XIV 108, **loiaument** X 152, *adv.* loyally.

lechierre, *sm.nom.* fellow, clown XII 145.

ledengier, lesdengier, *v.a.* beat, ill-treat XIV 149, 392.

leenz, *adv.* inside, within V 122; in the household VI 29.

legier, ligier, *adj.* agile I 6; *de ligier* easily, without provocation X 6.

lent, *adv.* slowly IX 30.

lerres; v. **larron.**

lés; v. **lez.**

leson, *sm.* bed V 162.

leu XIII 246, **lué** XI 141, *sm.* place XIII 246, XV 172; opportunity XI 141; *venir en leu* get into a position, find an opportunity VI 27.

lever; *ind.pr.3* **lieve** I 8: *v.a.* lift up V 183; *v.n.* rise, get up I 8, XIII 56.

léz, lés, *prep.* beside V 113, XV 164; on the side of XIII 73.

li, l' I 75, *pron.dat.* (unstressed) I 42, 75, III 34, 49, VI32; (=possessive) I 45; (with dir. obj. pron. *le, la* etc. implied) I 9*, II 40, V 145.

lié; v. **lui.**

lié, liez, *fem.* **lie** V 93, 278, *adj.* joyful, happy II 45, VII 44.

lïen, *sm.* halter VIII 23, 49; **lÿen** X 167, entanglement.

lige, *sm.* liege-man XIII 376.

ligier; v. **legier.**

list=lit X 48.

liue, *sf.* league, three miles VI 61.

lo III 31, **lou** IV 13, *def.art.* III 31, IV 13; *pron.* III 60, IV 51.

loiaument; v. **lealment.**

loier, lïer; *p.p.* **lïé** V 264; *ind.pr.3* **loie** V 261: *v.a.* tie, tie up V 261.

loier, *sm.* pay, reward V 141.

lonc, *obl.pl.m.* **lons** XIII 263, *adj.* long VI 155, X 148; *au l. de* throughout XIII 58, 93.

longuement, *adv.* for a long time V 121.

lors, I 58, VII 53, **lores** XV 73*, *adv.* then.

lou, *sm.* wolf XI 89.

lué; v. **leu.**

lués, *adv.* then, at once XIV 114.

lui, li X 141, XI 121, *pron.ton.obl.m.* (after prep.) IV 43, V 232; (dir. obj.) V 31, VI 84; *refl.* X 23; *fem.* **lié** XIII 248.

luitier, *v.n.* struggle, wrestle XIV 265.

lÿen; v. **lïen.**

maignie; v. **mesnie.**

maillet, *sm.* mallet VII 116, 125.

main, *sm.* morning III 138; *adv.* early XIV 294*.

maine; v. **mener.**

mains, *adv.* less III 110, 118; *estre del m.* be obvious (?) VIII 69*.

maint, *adj.* many a III 25, 68, VI 194.

maintenant, *adv.* straightway II 6, VI 41; *de m.* XV 39, *tout m.* V 186, *tot m.* XI 15 straightway.

maintenir, *v.a.* hold sway over III 14; keep up, continue XIV 273.

mais I 38, **meis** XI 176, **mes** VI 225, *conj.adv.* but I 38; but rather X 53*; *ja m.* no more, never again II 47, V 84; *ne ... m.* never X 34, XV 183; *m. que* (with subj.) provided that VI 33, IX 89; v. also **ainc.**

maison III 79, **meson** V 71, *sf.*
house V 71; *a m.* to the house
III 41; *en m.* at home, at my house
III 79; *venir en m.* arrive home IV
55.

maistre XIV 75, **maitre** XIV 363,
mestre XIII 214, *sm.* master, lord
XIV 75; title of doctor XIII 214,
279, 358.

major, *sm.* mayor I 23.

mal IX 32, **mau** XIII 207, *adj.* bad,
evil IV 70, XI 257; *estre m. a* be
displeasing to IX 32; v. also **gote**;
sm. evil, misfortune, suffering
III 8, VI 228, XIII 115, 268.

malage, *sm.* illness XII 25.

malbailli; v. **maubailli**.

male, *sf.* (large leather) bag XII
title, 17, 27.

malement, *adv.* badly VI 220.

maleoit, *adj.* cursed X 80.

maleür, *sm.*; *a m.* bad cess to you,
to your cost V 267.

maleüré XIII 83, *p.p.adj.*, **maleürous** XIV 66, *adj.* unhappy,
wretched.

malfé; v. **maufé**.

malmis, *p.p.adj.* in a sorry plight IX
74.

malostru, *adj.* miserable, misbegot-
ten V 28.

maltalent XIV 303, **mautalant** XV
218, *sm.* anger; *par m.* angrily XIV
234.

malveisse; v. **mauvais**.

manant; v. **manoir**.

manbrer, *v.refl.* remember IX 15.

mandemant, *sm.* summons XV 101.

mander, V 100, *v.a.* summon, call
VI 44, VII 43; announce, intimate
XV 47.

mangier, **mengier** VI 132; *p.p.*
maingié XI 89; *ind.pr.3* **menjue**
IX 40, **mainjue** XI 60, *6* **menjüent** VI 140; *impf. 6* **manjoient**
III 9, **menjoient** VI 14, **mengoient** VII 15: *v.a.n.* eat; *inf. subst.*
food, meal V 72, VI 139.

manier, *adj.* clever, skilful XIV 176.

manoier, *v.a.* handle, take in one's
hand XIV 159.

manoir; *ind.impf.3* **menoit** III 20,
6 **menoient** XIV 53: *v.n.* dwell
V 9; **menant**, *adj.* wealthy XIII 22;
manant, *sm.* wealthy man, land-
owner VI 5.

manroe; v. **mener**.

mantir; *ind.pr.2* **manz** XV 144: *v.n.*
lie.

mar, *adv.* in an evil hour, inauspi-
ciously V 253; emphatic negative
with fut. XIII 228*; *mar seras
douté* you will not be in any fear=
do not fear XI 30.

marc, *sm.* mark (money) II 14, VI
192.

marcheandie, *sf.* business, business
journey; *aler en m.* go on a business
journey VI 53.

marcheandise, *sf.* business, trading
VI 6.

marchié IV 2, **merchié** XI 17,
sm. market IV 2, 15, XI 17;
bargain V 278.

marri, *adj.* dejected; angry XIV 258;
v. also **cuer**.

mat, *adj.* downcast, depressed, sad
XV 91.

matines, *s.pl.* matins IX 19.

maubailli XII 85, **malbailli** XIII
85, *p.p.adj.* in a sorry plight.

maufé V 176, **malfé** XIV 389, *adj.*
accursed V 176; *sm.* demon XIV
95, 362.

maus; v. **mal**.

mausfués, *sm.* (nom.) hellfire XI
210.

mautalant; v. **maltalent**.

mauvais I 73, **mauvés** V 295, **malveis** XI 13, **mavés** XII 157, *adj.*
bad, wicked, evil.

meaignier, **mehaignier**, *v.a.* afflict,
wound III 6; maim XIII 110.

meffait X 98, **mesfait** XV 210, *sm.*
misdeed, wrong X 159.

mehaignier; v. **meaignier**.

mehaing, *sm.* wound, injury VI 234.

meillor VI 112, **moillour** XI 230, (nom.) **mieusdre** XIII 187*, *comp. adj.* better.

meis; v. **mais.**

mellee, *sf.* fight, brawl XIV 273.

mellenc, *sm.* whiting (=object of small value) XIV 218.

memoire, *s.* senses, wits; *hors de m.* out of one's wits XI 193.

menant, menoit, menoient; v. **manoir.**

mençonge, *sf.* lie IV 70.

mener III 83; *ind.pr.3* **maine** II 7, **moine** XV 112; *fut.1* **menrai** VI 99; *condit.1* **manroe** XI 25: *v.a.* take, lead II 7, XIV 356.

menesterel V 62, **menestrel** XIV 401, *adj.subst.* minstrel V 62, XIV 401; rascal, good-for-nothing V 207.

mengier; v. **mangier.**

menoit; v. **manoir.**

menu, *adj.* small VII 135.

mercerie, *sf.* goods, wares XI 21, 129.

merchant, *sm.* merchant XI 29.

merchié; v. **marchié.**

merci, *sf.* mercy, pity II 19, XIII 225; thanks XIII 276, 289; v. also **crïer.**

mercier, *sm.* merchant, pedlar XI 18.

merveille V 201, **mervoille** III 62, *sf.* wondrous, strange thing III 62, V 201, XIII 220; wonder, amazement III 66.

merveillier, mervillier X 135, *v.n. refl.* wonder, marvel V 178*, X 135.

mes; v. **mais.**

mesaventure, *sf.* misfortune XI 88.

mescheance, *sf.* misfortune, mischance XI 73.

mescheoir; *p.p.* **mescheü** XV 80; *pret.3* **mescheï** VII 6: *v.impers.* turn out badly; **mescheant,** *pres.*

p.adj. ill-starred, wretched VII 134; unlucky XIV 333.

meschine, *sf.* girl, maiden V 286, VI 38, XV 143.

mescroire, *v.a.* disbelieve, suspect VI 245.

mesdire, *v.a.* slander, insult XII 41.

mesdizant, *s.* slanderer X 5.

mesfait; v. **meffait.**

mesfere, *v.a.n.* ill-treat, wrong, do wrong, err XIII 100, XV 177.

meshui, *adv.* today; from now on, hereafter V 221, 225.

mesnie VI 137, **maignie** X 52, *sf.* household, servants VI 143, XIV 386.

mespoinz; *joër de m.* cheat XIV 203*.

mesprendre V 24, *v.n.* go wrong V 24; transgress X 163.

mesprison, *sf.* crime I 70; outrage X 106; sharp practice, apprehension (?) XIV 310*.

message, *sm.* errand VIII 33.

mestier, *sm.* trade, station in life XIII 39; *avoir m. de* be in need of, need XIII 216, XIV 91; *estre m.* be necessary XIII 7; be of avail XIII 52.

mestre; v. **maistre.**

mesure, *sf.*; *faire m.* act reasonably II 49.

metable, *adj.* obedient, amenable, tractable X 18.

metre X 105; *p.p.* **mis** I 53; *ind.pr.3* **met** V 262, **mest** I 24, **mat** XI 193, 6 **mestent** III 130; *subj.impf.3* **meïst** VI 180; *impve.2* **met** XIV 146: *v.a.* put I 53; stake, wager XIV 146; take (of time) XV 123; *v.refl.* betake oneself III 24; *m. avant* disclose, reveal X 73; *m. seure, m. sus* accuse X 85, XIV 239.

meür, *adj.* ripe IX 25.

meure IX 17, **more** IX 82, *sf.* blackberry.

mez, *sm.* house, cottage III 20.

mi, *pron.* (tonic obl.) me XIV 342, 372.

mi; *en mi* in the middle of II 23; *par mi* in the middle of I 9, XI 144, XIII 181.

mie, *adv.* of neg.; *ne ... mie* III 110, V 13, VI 191.

mielz XIV 109, **mialz** XV 67, **mieus** VII 115, *adv.* (comp. and superl.) better, best VIII 14.

mieusdre; v. meillor.

mire, *sm.* doctor, physician XIII title, 131, etc.

modre III 105, *v.a.* grind, sharpen.

moie; v. mien.

moillier, *sf.* wife XIII 16.

moillour; v. meillor.

moine; v. mener.

mollé, *adj.* well-fashioned, sturdy VI 178.

moller, *v.refl.* take pains to VI 194.

molt I 6, **mont** VII 62, **mout** X 97, *adv.* very I 6; much V 15, VII 62; greatly III 4; *m. de* much, a great deal of VII 67.

monnoie VII 99, **monoie** X 72, *sf.* money X 126.

mont; v. molt.

mont, *sm.* heap XV 78.

mont, *sm.* world V 110, XIII 118, XIV 144.

monter IX 12, *v.a.* put up IX 78; mount XIII 193; go along XII 28*; *v.n.* mount III 88; get up IX 38; increase XII 156; *v.impers.* be of importance, interest XII 92; **monteiz,** *p.p.adj.* (nom.) wealthy X 64; *inf.subst.* mounting XIII 190.

monstrer, montreir; v. mostrer.

more; v. meure.

morir XIII 88, **mourir** XIII 236; *ind.pr.1* **muir** XII 19, *6* **muerent** IV 85: *v.n.* die IV 85; (in com-

pound tenses) *v.a.* kill XII 51, 59, 126.

morsel, *sm.* morsel IV 74, VII 15.

moston, *sm.* ram, sheep III 35.

mostrer I 38, **monstrer** II 48, **montreir** X 146, *v.a.* show XIV 138.

mot, *sm.* word VII 1; what is (was) said VII 34; v. also **soner.**

moustier XII 62, **mostier** XII 67, **monstier** XII 69, *sm.* church.

mout; v. molt.

mouteploier VIII 13, *v.n.* multiply VIII 68.

mouvoir, movoir; *p.p.* **mu** XIV 349; *pret.3* **mut** IX 45: *v.refl.* move IX 45; go, go away VII 32; *p.p* *adj.* worried, troubled XIV 349.

mucier, *v.a.refl.* hide VII 72, VIII, 67.

mueble, *s.* piece of furniture X 55.

musart, *sm.* idler, trifler, ninny V 254.

ne, n', *neg.adv.* (complete without *pas, mie* etc.) I 59, II 6; *conj.* and XI 107, 112, 113; or V 289; nor VI 20; *ne ... ne ... ne* neither ... nor XI 40; *ne je* nor I XI 221.

nel=ne+le I 42.

nen (before vowel)=ne XIV 315.

nenil, *neg.part.* no XIII 117, XIV 78.

neporqant III 121, **nonporquant** XI 71, *adv.* nevertheless.

nés, *sm.* nose II 40.

neveu, nevou, *sm.* nephew VI 145, 195.

nice, *adj.* simple, naïve IV 7.

nïent XIV 296, **noiant** XV 160, *adv.* nothing; *atendre n.* wait in vain XIV 346.

no, noz=nostre VIII 11, 15.

no=ne+le XV 132, 250.

noiant; v. nïent.

noier I 42, *v.a.* deny.

noier I 41, *v.n.* drown.

noise, *s.* rowdiness XIV 34.

non, *neg.adv.* with *faire* XIV 252.

non, *sm.* name III 42; *avoir n.* be called IV 14, VII 5.

nonne, *s.* none, the ninth canonical hour, counting from 6 a.m., and so 3 p.m. and, by extension, the period from 12-3 XI 47.

nonporquant; v. neporqant.

nonsachant, *adj.* unintelligent IV 1.

norrir, *v.a.* bring up, rear VI 3.

nou=ne+le X 40.

novel XI 17, **noviaus** VI 11, *adj.* new XI 17; young, fresh VI 11; *de n.* freshly, newly XIV 155.

nuef, *num.adj.* nine X 12.

nuisance, *s.* annoyance, trouble X 4.

nul, *pron.adj.* (nom.) **nus** II 51, III 8, **nul** II 30, (obl. ton.) **nului** V 66, no, none, any, anyone.

nuns, *pron.adj.* no one, no X 48, 54, 99, XI 170.

o, *dem.pron.* this XIII 244*.

o, *prep.* with III 72, V 104, 174; **o tot,** *prep.* with III, 125.

o, ou, *rel.interr.adv.* where I 41, III 93; in whom IV 9, XI 40.

ocirre XII 95, *v.a.* kill.

oef VI 228, **oés** (obl. pl.) XIII 68, *sm.* egg XIII 68; (as thing of little value) VI 228, X 12.

oeil; v. ueil.

oés, *sm.* use, advantage, profit; *a son oés* available to one for one's use, profit XIII 4; *a oés le païsant* on behalf of the peasant XIII 21.

oevre; v. uevre.

offrir; *fut.3* **offerra** XII 93: *v.a.* offer.

oi; v. hui.

oïe, *sf.* ear XIII 180.

oïl, *affirm.part.* yes III 46, XI 106, XIII 352.

oill; v. ueil.

oir, *sm.* heir XII 7.

oïr III 79; *p.p.* **oï** I 61; *ind.pr.3* **ot** V 144; *pret.1* **oï** III 69; **oÿ** X 99, *3* **oï** III 37, V 202, **oÿ** VII 34, *5* **oïstes** III 80, *6* **oïrent** XII 71; *fut.2* **orras** V 140, *4* **orrons** X 84, *5* **orez** III 60, **orroiz** XIV 36, **oroiz** XV 162; *impve.2* **os** VIII 10, *5* **oiez** XII 1: *v.a.* hear I 61; hear of X 99.

oirre; *en o.* straightway, immediately VIII 38.

oissirent; v. issir.

om III 36, **on** VII 81, **an** III 108, **en** II 25, **l'en** IV 9, *pron.* one X 32.

ome XIV 396, **home** I 5, *nom.* **hom** V 234, **hon** IV 8, *sm.* man; (with reduced sense) *hon doublere* one who gives increase VIII 59*.

onques, onc XIII 116, *adv.* ever X 36; *ne ... o.* never III 80, V 28; (as emphatic negative) V 160, VI 224.

or IV 12, **ore** III 57, *conj.* now V 3, 168, XIII 85; *adv.* now, at present III 83, IV 12, V 21; just now, recently III 57; **or ça!** *interj.* XV 158.

orbe, *adj.;* *o. cops* heavy, bruising blows (that do not draw blood) VI 172.

ore; v. eure.

orendroit, orandroit, *adv.* straightway III 78, V 25, XII 120, XIV 216.

orer IV 64, *v.a.* wish (something on someone); **ourer** VIII 3, *v.n.* pray.

orine, *sf.* origin; *de pute o.* baseborn, churlish fellow XIII 202.

orine, *s.* urine XIII 146*.

ortoille, *s.* toe IV 18.

oscur, *adj.* dark III 47.

osse=ose XI 251.

ostage, *sm.* stabling XI 27.

ostagier, *v.a.* take as a security XI 208*.

ostel, *pl.* **ostez** VIII 51, house, dwelling I 13, III 37; lodgings XV 95.

osteier, *v.a.* house, lodge XIV 60, 83.

ostrage, otrage; v. outrage.

otroi, *s.* permission XV 27.

otroier, otrïer, ostrïer; *ind.pr.1* **otroi** X 88, **otri** XIV 167, *3* **otroie** VI 37: *v.* grant VI 37, XIII 29; give leave X 88, XIII 357; agree to XIII 25, 90; admit XIII 343.

ou, *conj.* or V 226.

ou=en+le V 212, VI 115, XI 50.

ourer; *v.* orer.

outrage XI 184, **otrage** IV 84, **ostrage** I 31, *sm.* outrage XI 184, 249; extreme folly IV 84; *par o.* severely, savagely I 31; *demander o.* make an excessive demand XI 200.

ouvrer XIV 368, **ovrer** XV 245, *v.n.* work, act; *com as ouvré de* what have you done with . . .? XIV 368.

ouvrir XIV 414, **ovrir** III 33; *ind. pr.3* **oevre** II 43, **ovre** III 33; *pret.3* **ovri** III 38: *v.a.* open.

ove; *v.* avoec.

ovre, *sf.* work, undertaking III 34.

paiemant, *sm.* pay, reward V 272.

paier XI 237; *p.p.nom.* **paiez** XI 155; *pret.3* **paiat** X 170; *fut.3* **paiera** V 197, *5* **paieroiz** XI 211; *subj.pr.3* **pait** V 195; *impf.1* **paiesse** XI 244; *impve.5* **paiez** V 168: *v.a.* pay V 168, XI 237; appease, pacify, satisfy X 114.

paine II 8, **poine** XV 7, *sf.* toil II 8; anxiety XV 7; torment XV 206; *a grant p.* laboriously, with some difficulty II 8, V 163.

pais XIV 141, **pés** VI 154, XII 119, XIII 107, *sf.* peace.

païsant, *sm.* countryman; bumpkin, idiot V 242, XIII 21.

palee, *sf.* spadeful II 39.

pandre; *v.* pendre.

pandre; *v.* prendre.

panroit; *v.* prendre.

paor V 265, **paour** XIII 318, **pëor** III 54, **poör** IX 52, *sf.* fear.

L

par, *prep.* by VIII 23; through VII 51; in, throughout III 31; beside(?) XIV 217, see notes to 211–22; *par destourbier* to one's vexation VII 5; *par pieces* in pieces VII 135; *par ci* this way IX 80; *a par li* to himself alone, exclusive to himself VII 36; *intensifying part.* V 39, 120, XII 98*, (also with *molt* and *trop*) greatly, exceedingly.

parcloze X 70, **parclosse** XI 252, *sf.* end, conclusion.

pardoner; *subj.pr.3* **pardoint** X 159: *v.a.* pardon.

pareil V 202, **paroil** III 69, 80, *obl. pl.* **parieus** V 68, *adj.* equal, similar.

parfont, *adj.* deep XI 177; *rue parfonde* sunken lane IX 22.

parisis, *sm.* coinage of Paris V 82, VII 151.

parler VII 101, **parleir** X 130; *ind. pr.2* **paroles** VII 134, *3* **parole** VI 144: *v.n.* talk, speak.

paroir; *ind.pr.3* **pert** XIII 74; *fut.3* **parra** XIII 152: *v.n.* appear.

parole, *sf.* words, speech XII 124, 142.

parperdre, *v.a.* lose entirely XIV 353.

part, *sf.* part, share XIV 180; *ceste p.* hither V 253; *cele p.* in that direction, thither II 28, III 24.

partie, *sf.* share XIII 147, 154.

partir, *v.n.refl.* depart V 92, 96, VI 136, VIII 37: *v.a.*; *partir un geu* offer a choice XI 228*.

pas, *sm.* pace; *aler le pas* go slowly VI 76.

pasmer, paumer, *v.n.refl.* faint, swoon II 16, III 54, IX 62.

passer VI 237, *v.n.* pass, go; (of time) XIII 135; *v.a.* surpass, outdo VI 85, XIV 328.

patenostre, *sf.* Lord's Prayer XI 95.

paumer; *v.* pasmer.

pautonier, *sm.* man-servant VI 149.

pechié, *s.* sin IX 79, X 160; misfortune XV 86.

pein, *sm.* bread, loaf XIII 69, 290; (with *prisier* as thing of little value) XIII 49.

pel, *sm.* stake, post III 114.

peler, *v.refl.* skin oneself XIV 8*.

pendre XII 44, **pandre** III 122, **panre** XIV 42; *ind.pr.3* **pent** XII 17: *v.a.n.* hang III 122, X 88, XI 44.

pener, *v.refl.* take pains; *se p. de folie* take pains foolishly, strive to no purpose V 37.

pensé, penssé, *sm.* thought VI 226, IX 93.

pensif, *adj.* dejected IX 73.

penssee, *s.* thought, anxiety, worry V 52.

pëor; v. paor.

perdre XI 26; *pret.3* **perdi** XIV 420; *fut.5* **perdroiz** XI 31: *v.a.* lose.

perrin, *sm.* room (built of stone) VI 165.

pertuisier, *v.a.* make a hole in; *p.p. adj.* full of holes XIV 19.

pés; v. pais.

peser; *subj.pr.3* **poist** III 30: *v. impers.* grieve XIII 32.

pestel, *sm.* pestle, club, V 247, VI 178.

pestre XI 25, *v.n.* graze.

pesture, *s.* pasture, meadow XI 87, 93.

petit, *adv.* little VI 102; **p. de,** *adv. of quantity* little III 137; *sm.* (in adv. expression) little while IV 40, VI 130.

petitet, *dimin. of* **petit** little while V 2.

peü, *p.p. of* **paistre;** *bien p.* well-fed IX 7.

pié, *pl.* **piez** IX 38, *sm.* foot VII 40, XIII 95.

pié, *s.* evil, misfortune VII 40.

piece, *sf.* period of time; *grant p.* long time VI 30.

pis, *adj.neut.* worse IV 80, XIV 235; *le p.* (superlative) worst VII 149; *en avoir du p.* have the worst of it VII 174.

piz, *sm.* breast IV 24.

plain=plein, *f.* **plainne,** *adj.* full III 127, VI 20, X 7, 51.

plain; *au p.* headlong, precipitately III 28.

plaintif, *sm.* plaintiff I 29; *estre p. de* be the accuser of, lay a complaint against, accuse I 29.

plaire, plere; *ind.pr.3* **plest** XIII 250; *impf.3* **plesoit** VI 22; *pret.3* **plot** XIII 29; *subj.impf.3* **plaüst** XV 19: *v.n.* please.

plait, plet, *sm.* speech, words, proposition V 144; exposition XV 84; argument, discussion V 196, 274; lawsuit, court of law X 112; *bastir un p.* come to an arrangement VI 40.

plenier, *adj.* big V 90; regular XIV 135*.

plenté, *sf.* plenty VIII 36, IX 17; *a p.* in plenty XIII 105.

plevir V 138, *v.a.* pledge VII 150.

plorer XIII 30; *condit.3* **plorroit** XIII 58, 59: *v.n.* weep, cry III 138.

plusor IV 84, **plusors** I 66, **plusieurs** VII 121, *adj.pron.* several, many.

plus poinz, *sm.* name of dice-game XIV 204. See notes on XIV 129-361.

poi, pou, *adv.* little V 184, VI 78, XIV 243; *a (par) poi ne* almost V 164, XIV 382; *a (par) poi que ... ne* almost V 240, XIII 110.

poin, poing, *sm.* fist, hand V 246, VI 8, VIII 28.

poin, point, *sm.* point, fine point VI 7; point (dice-score) XIV 187, 213, 330; *en itel p.* to such a degree XIII 265; *metre a p.* put in prime condition XIII 266; *de tous poins* wholly, in all things VII 70.

poindre; *p.p.* **point:** *v.a.* prick IX 75; press hard upon XIV 329.

poine; v. **paine.**

point; v. **poindre.**

poison=**poisson** XIII 67, 137.

poissant, *adj.* powerful XIV 272.

poitral, *s.* breast-strap (of harness) XV 77.

ponois, *sm.* importance VI 17*.

pooir; *ind.pr.1* puis I 36, *2* puez XIV 136, *3* puet I 55, pot (?) III 74, *4* poöns VIII 14, *5* poëz IX 91, pouez VII 149; *impf.3.* pooit V 55, povoit XI 141; *pret.3* pot III 48, pout X 142; *fut.1* porrai XI 67, *3* porra XIII 54, pourra XIII 234, *5* porrez VI 91; *cond.1* porroie V 24, *3* porroit XI 142, *6* porroient III 16; *subj.pr.1* puise XIII 242, *3* puist IV 63; *impf.3* peüst V 111, poïst III, 116, *6* peüssent X 68: *v.* can, be able; **pooir a** + *inf.* XV 124; *inf.subst.* **povoir,** power XI 134; *a son pooir* to the best of one's ability VI 138.

poör; v. **paor.**

por, pour, *prep.* on account of III 119, V 53; because of X 20; on behalf of XI 254; for, as IV 11; (=par) by means of II 48; at the risk of XV 103*; (with inf.) in order to VII 46; for lack of (in *ja por batre ne demorra*) XIII 154; (with verb of motion) *corre por* run to see III 62; **por ce que** because VII 24.

porpenser XIII 53, **porpensser, porpanser** III 15, **pourpenser,** *v.refl.* reflect, consider I 16, III 15, XIII 37, 233; resolve VI 24.

porpris, *sm.* grounds, property V 85.

porsuïr XI 67; *merchiez p.* frequent markets, carry on business.

portendre, *v.a.* spread VI 118.

porteur V 133, *nom.* **porter(r)es** V 144, 190, *sm.* street-porter.

pose, *sf.* period of time XIII 36.

pou, *sm.* (in adv. expr.) *un p.* a little V 166; and v. **poi.**

pourpens, *sm.* thought, idea VII 165.

praerie, *sf.* meadow XI 55.

pree, *sf.* large meadow XI 32, 144.

premerain, *ord.num.* first VI 113.

premiers, *adv.* first, first of all V 296, XV 57.

prendre VIII 32, **prandre** XV 28, **pranre** IX 2, **pandre** III 122; *ind. pr.3* prant II 37, prent VIII 23, *6* prenent XII 46, pranent III 15; *pret.3* prist VI 110; *cond.3* panroit XI 76; *impve.2* pren IV 59, *5* prenez XI 121, pranez XIV 304; *subj.pr.3* preigne IV 70, praigne XIII 372; *v.a.* take III 122; (*se*) *p. a* VII 53, III 15, XIII 53; *p. l'uis* go out through the door XIII 350; *p. guerre,* v. **guerre.**

pres VII 128, **prez** XII 44, **pres[t]** III 131, *adv.* near, close at hand III 131; *p. ne* (with verb) nearly, almost VII 128; *prez va que . . . ne* it is a near thing that XII 44; *pres poindre* press close upon XIV 329; *pres a pres* very close, closer and closer IV 26.

presse, *sf.* crowd, crush IV 28, VII 85.

prest, *adj.* ready XV 55; *p. de* (with inf.) ready to I 76.

prestre, prestes; v. **provoire.**

preu, *sm.* profit, advantage XIII 338.

preu, *nom.* **preuz** I 6, *f.* **preude** VI 55, *adj.* worthy, brave, good.

preudome I 30, **preudom** II 31, **prodons** III 66, *sm.* worthy man.

prevoire; v. **provoire.**

primes, *adv.* first VI 196.

pris, *s.; de p.* of worth XV 42.

prisier, proisier; *p.p.* **proisié** VI 15; *ind.pr.3* prise V 295, *6* prisent X 12; *fut.3* prisera XIII 49; *subj. impf.3* prisast VI 124: *v.a.* prize, esteem V 295, VI 15; reckon . . . at, consider . . . worth VI 124, 228, X 12.

priveement, *adv.* secretly, privily VI 31, VII 158.

proier XIII 326, **prïer**; *p.p.* **proié** VI 35; *ind.pr.1* **pri** XI 98, **prie** VII 145, **proi** XII 18; *pret.3* **proia** XII 53, **pria** XII 138; *impve.5* **proiez** XV 214: *v.a.* beg, pray.

proisier; v. **prisier**.

proisne, *sm.* chancel-rail, choir-screen VIII 5*.

provoire VIII 37, **prouvoire** X 20, **prevoire** III 96, **prestre** VII 7, **preste** III 75, *nom.* **prestre** VII 11, **prestres** VIII 4, **prestes** III 82, **provoires** VIII 31, *sm.* priest.

puant, *adj.* stinking, disgusting XIII 102.

pucele, *sf.* girl, maiden V 49, XIII 256, 267.

pueple, *sm.* people VII 120.

puerement, *adv.* only XIV 318.

puis, *adv.* then XIII 379; since, afterwards VI 244, XIII 381; **p. que** *conj.* (temporal) since V 51.

purnés, *adj.* stinking, revolting XIII 108.

put; v. **orine**.

puterie, *sf.* wenching, loose living XIV 26.

q'; v. **que**.

qant III 107, **quant** I 50, *conj.* when III 38, VI 98.

qeust; v. **cosdre**.

qoi; v. **quoi**.

quant, *adj.* how many XII 134; *tant ne q.*, v. **tant**; **quant que** XIII 7, 29, 100, **quanque** X 53, *indef.pron.* whatever XIV 28.

quar; v. **car**.

quas=**cas**, *sm.* matter X 93.

quas=**cas**, *adj.* broken, ruined X 94.

quasser VI 235, *v.a.* break VII 148.

que, qu' III 48, **q'** III 37, **c'** II 2, *conj.* (consecutive) + *indic.* I 9, IV 30, + *subj.* X 46; (causal) for I 28, IV 46, VII 7; (introducing impve.) V 192.

que que, *conj.* while X 123.

que . . . que, whether . . . whether IV 7.

quemant; v. **comander**.

querre VIII 94; *p.p.* **quis** XIII 349; *ind.pr.1* **quier** I 42, *3* **quiert** XII 29, *5* **querez** XIII 127; *pret.6* **quitrent** XIII 192; *fut.1* **querrai** XIV 405, *6* **querront** XIII 13; *cond.1* **querroie** IX 88: *v.* seek I 42; enquire XV 15; *son pain q.* seek one's living XI 70.

queu, *sm.* cook XIII 324.

qui I 43 (and, also *nom.*) **que** XI 12, 131, 145, **qu'** II 26; *neut.nom.* **qui** XV 205, **que** XIII 364 (and in) **ce que** XI 46; *neut.obl.* (after prep.) **c'** XI 2, (acc.) **que** I 50, **q'** III 55, **c'** V 287; **cui** (after prep.) *ton.obl.* III 7, XI 147, (acc. dir.obj.) III 14, **qui** XIV 411; *dative* **cui** III 30, V 120, **qui** III 30, VIII 66, XIII 32, *rel.* and *interr.pron.*; **qui** (=*si l'on*) with *subj.* II 14, VI 186, IX 56, XI 222, with *cond.* V 290, IX 50; **que** (=*ce que*) I 34, III 100, VII 74, VIII 11; **qui** (=*celui qui*) V 296.

quidez; v. **cuidier**.

quieus=**quels** XI 189.

quines, *s.* throw of five (at dice) XIV 318.

quite, *adj.* free, innocent XI 204; scot-free XI 234*; v. also **clamer q.**

quoi, qoi, coi, *tonic neut.pron.rel.* and *interr.* (after prep.) II 21, V 170, XI 110; **c'** *atonic* (after prep.) XI 2.

quoi, *adj.* quiet, still II 22, IX 47.

raembre, *v.a.* redeem, rescue I 69.

raenson, *sf.* ransom, heavy fine XI 16.

rage, raje, *sf.* madness IV 83, V 238; mad rage XII 75, XIII 89.

raison, reson, *sf.* speech XI 143; reason VIII 19; *ma r.* what I have to say VI 151; *metre a r.* address, question IV 56, XV 14; *entendre r.* take the sensible, reasonable, view VIII 7, XI 99; *rendre r. a qqn. de qqch.* make good to, give satisfaction for XI 94.

raler VII 71; *ind.pr.3* revet XIII 79: *v.n.* go back, go again.

randre, rendre, *v.a.* give back III 135, VIII 8; give, yield VIII 17.

rapaier XI 238, *v.* pay back, recompense.

ravine; *de grant r.* rapidly, ravenously IX 40.

ravoir; *ind.pr.3* ra XIII 109, *5* ravez XI 234; *subj.impf.5* reussiez XI 126: *v.a.* get back XI 126, 234;= re+*aux. v.* XIII 109.

reclamer VII 132, *v.a.* call upon, invoke.

recoi, *sm.;* *a r.* quietly, on one's own VI 134.

recoillir, recueillir, *v.a.* take, accept VI 70, XI 186.

reconter, *v.n.* tell a tale again XII 103.

recorder VII 2; *ind.pr.1* recort XII 52: *v.a.refl.* narrate, tell.

recort, *s.* remembrance XV 204.

recroire, *v.refl.* (with de+inf.) give up, cease VI 246; *v.a.* hand over, entrust XIV 111.

recueillir; *v.* recoillir.

regne, *s.* rein XV 62.

rehaingnet, *sm.* violent blow VII 117.

rehonde; *a la r.* all around, in every direction XI 34.

rehuchier, *v.n.* call, cry out, again XII 103.

remanoir, remaindre; *p.p.* remés XIII 299; *ind.pr.3* remaint XIV 121; *pret.3* remest X 168; *fut.1*

remeindré XIII 298, *5* remaindrez VI 129; *cond.6* remenroient XIV 251*; *subj.pr.3* remaigne XII 107: *v.n.* remain, stay.

removoir; *pret.3* remut IX 42: *v. refl.* move, budge.

rencontre, *sm.* tie (at dice) XIV 320. See notes on XIV 291-334.

renoier; *subj.impf.1* renoiesse XI 243: *v.a.* deny, renounce.

rëonde, *sf.* (round) cape, cloak XI 178.

repaire, repere, *sm.* return VI 56; *se metre au r.* go back, return III 130.

repensser, *v.* think in one's turn VI 84.

reperier; *p.p.* reperié, *f.* reperie VIII 53: *v.n.* return.

repondre; *p.p.* repus V 112: *v.a.* hide.

reporter, *v.a.* carry back VI 221.

repus; *v.* repondre.

requerre; *p.p.* requis XV 13: *v.a.* request, beg XV 220; court, woo XV 13; *r. d'amors* court, solicit the love of VI 155, XV 16.

rés, *p.p* of rere, shaved XIII 300.

rescolt, *ind.pr.3* of rescorre, rescue I title.

reseoir; *subj.impf.3* resist XI 241*: *v. impers.* suit.

reson; *v.* raison.

respassé, *p.p.* recovered, healed I 15.

respit, *s.* pause IX 2; *sans r.* without delay, at once VII 61.

respondre X 84; *ind.pr.6* responnent XIII 153; *impf.3* responoit III 49; *pret.3* respondi VII 111: *v.* reply.

retor, *sm.* retreat, refuge, XIV 22.

retorner; *cond.5* retourriez VII 62: *v.n.* go back III 53, V 194; return, come back VII 62; *inf. subst.;* *au r.* on turning round IV 42.

retrere V 22; *p.p.* **retrait** I 60: *v.a.* pronounce (judgment) I 60; *v.n.* tell, relate V 22.

reussiez; v. **ravoir**.

revel, *s.*; *sanz r.* law-abiding, respectable XI 18.

revenir; *fut.1* **revendré** XIII 61, *6* **revenron** XIV 116: *v.n.* come back, return.

revertir, *v.n.* return VI 200.

revet; v. **raler**.

revez=re+vez V 203.

ribaut, *sm.* servant, odd-job man VI 149; vagabond, rogue XIV 77, 394, 418.

riche, *adj.* powerful, important, wealthy, magnificent III 19, I 75.

rien III 6, **riens** V 32, *sf.* thing V 32, XIII 280; *rien nule* IX 83, *ne . . . nule rien* XIII 151 nothing; *riens nee* anything at all X 31; *de riens* in no way I 20; *riens ne l'en est* it matters naught to him I 75; *ne . . . rien*, *neg.adv.* not at all III 64; *pron.* anything III 100, VI 174.

rire XI 22; *p.p.* **ris** III 134; *pret.3* **rist** V 204; *subj.pr.3* **rie** VII 3: *v.n.refl.* laugh III 134, 138; *inf. subst.* laughter III 135.

risee, *s.* amusing thing, story XI 9.

rivail, *sm.* river-bank XIII 158.

riviere, *sf.* river-bank, river V 89, 157; state, condition XIV 5.

roële, *sf.* wheel V 241.

roi, *sf.* net I 3, 12.

roidement, *adv.* violently XIV 259.

romant, *sm.* vernacular, French XI 52.

roncin, *sm.* horse XIII 5.

roognier, *v.a.* cut the hair of XIII 300.

roschoi, *sm.* blackberry bush IX 47.

rotir, *sm.* griddle XIV 118.

rouler, *v.a.* polish, burnish; *r. le hauberc* (fig. sense) rain blows on, beat without mercy VI 191.

route, *sf.* crowd, host XIV 358.

rue, *sf.* street II 11; lane IX 22.

rüer, *v.a.* throw, hurl, fling V 190, 213; *ruher les danz a* sink one's teeth into XI 59.

s'; v. **ce, se, si, son**.

sac, *obl.pl.* **sas** VI 12, *sm.* sack, bag III 36, 127, V 153.

sachier, saichier, *v.a.n.* pull, drag I 10, IV 29, VIII 49, XIV 267.

saillir; *ind.pr.3* **saut** XIV 253: *v.n.* jump, leap II 43, III 28, VI 176; jump up, spring forward XIII 221.

sainier, *v.refl.* make the sign of the cross, cross oneself V 235.

salver, sauver; *subj.pr.3* **salt** XIV 235, **saut** VI 150: *v.a.* save.

samblant, *sm.* expression, appearance VI 25*.

samble V 251, **sanble** I 57= **semble**.

san; v. **sanz**.

san, *sm.* mind; *avoir le s. changié* go out of one's mind XI 90.

santier; v. **sentier**.

santir, sentir; *ind.pr.3* **sant** III 123: *v.* feel, become aware.

sanz, san XV 23, **cens** X 133, *prep.* without III 2, VI 14.

sauvemant, *sm.* salvation XI 180.

savetier, çavetier, *sm.* cobbler VII 4, 8.

savetiere, *sf.* cobbler's wife VII 13.

savoir VI 63; *p.p.* **sceü** VII 170; *ind. pr.1* **sai** I 34, *2* **ses** XIII 177, *3* **seit** X 120, **set** XI 172, *6* **sevent** II 21; *pret.1* **soi** XIII 219, *3* **sot** V 110; *fut.3* **savra** VI 100; *cond.1* **savroe** XI 216; *subj.impf.3* **seüst** V 199; *impve.2* **saiches** XIV 112, *5* **sachiez** VII 61, **sachiés** XII 111: *v.a.* know, be able; *inf.subst.* knowledge, wisdom IV 9, VIII 30; wise act IX 92; **sachant**, *pres.p.adj.* skilful XII 124.

se I 39, si I 74, s' IV 5, c' X 46, *conj.* if, whether; (introducing subj.) in a pious asseveration VI 150, XI 107, 124; v. also si, ce.

secorre; *subj.pr.3* secoure X 56: *v.a.* help.

secrez, *adv.* secretly, quietly XIV 129.

seignor V 105, seignour X 62, *nom.* sire III 56, sires VI 4, seignor VI 160, *sm.* master (of the house), lord, husband VI 160; master XV 22*; (as vocative) Sir III 56, *pl.* VI 150; *sire boçus* master hunchback V 250, *sire clercgaut* VI 184.

sein, *adj.* healthy XIII 348, 353.

sejor, *sm.* stay, sojourn III 129.

sel=se+le.

selonc, *prep.* according to XIV 3.

selt; v. soloir.

semetiere, *sm.* graveyard X 41.

semondre X 83; *p.p.nom.* semons X 91; *ind.impf.3* semonoit II 25: *v.a.* bid, summon.

sempres, *adv.* straightway XII 61.

sens, *sm.* direction; *de tous s.* completely, utterly VII 126.

sens, *sm.* good sense, wit, cleverness VII 114, XIV 3; *faire s.* act sensibly II 49; *votre s.* X 132*.

sentier, santier, *sm.* path III 28; *tenir malveis s.* go along an evil path=run into trouble XI 181.

seoir; *pres.p* seant IX 36; *ind.pr.3* siet XV 33; *impf.3* seoit III 36; *pret.3* sist V 121; *subj.impf.3* seïst V 60; *impve.5* seez XIII 214: *v.n. refl.* sit III 36, V 121; *v.n.* and *impers.* suit, please V 120, XV 33, 34.

serf, *pl.* sers, *sm.* servant X 36, 54.

seri, *adj.* calm, peaceful; *nuiz s.* nightfall (?) XIV 347*.

serjant, sergant XIV 404, *sm.* servant IX 60, 77, XIII 121.

sermoner VIII 5, *v.n.* preach a sermon.

serré, *p.p.adj.* bolted, locked VI 46.

servise VIII 4, servisse XI 231, *sm.* service XI 231; (church-) service VIII 4.

ses, *obl.pl.* of sec=ready (money), in cash X 126*.

sesir V 246, *v.a.* seize.

setenbre, *s.* September IX 16.

seue; v. son.

seur; v. sor.

seure; v. metre.

seux; v. cel.

si, *adv.; si … que* so much … that VI 210.

si I 4, s' I 32, II 28, IV 5, se VI 19, 32, *conj.* and; until V 270; *et si* I 66, VI 130, *et se* XI 72 and; *puis si* and then V 183; *si que, conj.* so that III 37; until XIII 93–4; with verbum vicarium *si feroiz* III 86 Oh, yes, you will!; (with intensifying force with subj.) IV 76, 77.

siaut; v. soloir.

siecle, *sm.* world X 1, XIV 67, 80.

sien; v. son.

sines, signes, *s.* sixes (at dice) XIV 220, 326. See notes on XIV 211–22.

sire; v. seignor.

sivre; *pres.p.* sivant V 266; *ind.pr.3* siut V 239: *v.a.* follow.

soëf XIV 132, souef VI 96, *adv.* quietly.

soffroitous, *adj.* needy, in need of XIV 287*.

soi, *pron.refl.* him, himself VI 31.

soi, soif, *sf.* thirst III 12, IX 9, X 128.

solacier V 99, *v.* enjoy oneself.

solaz, soulas, *sm.* comfort III 2; enjoyment, pleasure VII 14.

soleret, *sm.; uns solerez* pair of shoes XIV 18.

solier, *sm.* upper room VI 95, 108.

soloir; *ind.pr.3* selt XIV 80, siaut XV 191; *impf.3* soloit V 114, *5* solïez XI 236: *v.n.* be wont to.

son, som XII 33, **sien** XII 14, *nom. sg.m.* **ses** III 113, **ces** X 50, 54, *fem.* **sa** I 3, **s'** III 87; tonic form **son** XIII 187, *fem.* **seue** VI 29, VIII 41, *poss.pron.adj.*; *le son* II 32, *le sien* V 10, his, one's, property, money; *vivre du sien* live on one's income, on one's own resources V 10.

soner; *ne s. mot* not utter a word VI 189, XV 237.

sor, seur XI 33, *prep.* on IV 41, V 259, VI 199; in XI 33; in spite of XI 41; near V 89; from XI 140; *sor ce* on this condition, assurance XIV 111; *sor les elz* as you value your eyes XIV 103*; *metre seure*, v. **metre**.

sorepeliz, sorpeliz, *sm.* surplice III 113, 123.

sorpranre XIV 41, *v.a.* seize, take by surprise XV 254.

soubit, *adj.* sudden IV 70.

souef; v. **soëf.**

sougrestein, *sm.* sacristan, priest XIII 45.

soule=**seule** XIV 105; **soulement** =**seulement** XIII 248.

soutil, *adj.* of good workmanship VII 152.

soux=**sous** X 154.

sovant, *adv.* often III 13.

soz XV 92, **souz** VI 99, *prep.* under, beneath; *par s.* under, beneath VI 79.

sozlever; *ind.pr.3* **sozlieve** IV 23: *v.a.* lift up.

su=**sel**=**se**+**le** XI 91.

sueil, *sm.* threshold V 60.

suer, *sf.* sister; vocative (affectionate term of address) my dear IV 58, VIII 10.

sus, *prep.* on VII 150, XI 194; *adv.* up II 43, V 230, VI 176; *metre sus,* v. **metre**.

tache, *s.* lead, leash XII 158.

taille, *sf.* tally-stick; *metre en t.* keep account of, reckon up VI 180.

taire VII 129, **tere** V 25, *v.n.refl.* be silent.

talant IV 4, **talent** VII 110, *sm.* desire IX 29; *(tot) a son (vo) t.* to his (your) heart's content XIV 94, 304; *venir a t. a qqn.* suit, please XIV 279.

tançon, *sf.* dispute, quarrel XI 8, 10.

tans III 5, **tens** I 68, **temps** VII 104, *sm.* time; *par t.* as soon as possible, soon XV 72, 162.

tanser III 16, *v.refl.* defend, protect; *se t. vers* defend oneself against III 16.

tant, *adv.* so much, so many VI 172, XI 12; *t. com* as much as, as far as XI 34; as long as XIII 59; *en t. que* in as much as, because VII 145; *t. ne quant* at all, in the least bit VII 47; *ne t. ne quant* nothing at all XIII 175; *metre t. a venir* take so long in coming XV 123; *t. faire que* do so much that=eventually II 10; *t. que* until I 26.

tantost, *adv.* immediately IV 32, VI 122, VII 55.

tapir, *v.refl.* hide XII 86.

tarder VII 133, **tardier** XV 135, *v.n.* delay, tarry.

tart, *adv.* late, too late V 222; *estre t. a* (impers.) be impatient to, long to XII 49, XV 106.

tas, *sm.*; *a tas* abundantly, plentifully VII 15.

teiche, *sf.* quality XIII 204.

teint, *p.p.adj.* pallid, wan XIII 230.

tel V 144, **teus** (nom.) III 138, **tele** (fem.) XIII 150, **teil** (masc.) X 34, (fem.) X 13, **itel** XIII 265, **tieus** (nom.) IV 8, *indef.pron.adj.* such.

tence, *s.* dispute, squabble XIV 34.

tenir VI 28; *ind.pr.1* **tieng** X 114*; *fut.1* **tenrai** XIV 406, 2 **tenras**

XIV 190, *ʃ* tanroiz XI 181, tanrés XI 230; *condit.3* tenroit IV 11;
subj.pr.3 taigne XV 99; *impf.1*
tenisse VI 181, *3* teignest XI
224: *v.a.* hold VII 125; keep IX 8;
match XIV 190*; hold as a fief,
rule over XII 3; *t. a* VI 19, *t. por*
IV 11 take for, consider as; *se t. a*
cleave to, take XI 230; *se t. de* VI
74 refrain from; *t. malveis sentier*,
v. sentier; *t. dez* hold the upper
hand XIV 579*.

tere; v. taire.

terme, *sm.* period of time, appointed
time, specified date VI 164, X 123,
XV 45; *metre t.* appoint, fix a time
I 24; *pranre t.* come to a stop, halt
IX 2.

terrïen, *adj.* earthly; *mont t.* world
here below V 110.

tiers V 187, tierz I 30, *ord.num.* third
XII 93; *t. dis* two days ago, the
day before yesterday I 30.

tiné, *sm.* club VI 177.

tirant, *sm.* torturer, devil XIV 411,
416.

toaille, *sf.* cloth, napkin VI 206.

toille, *sf.* cloth IV 17.

toitel, (nom.) toitiaus VIII 63, *sm.*
shed.

toldre; *p.p.* tolu XI 195: *v.a.* take
away XIV 249.

tondu, *p.p.* of tondre as *sm.* ton-
sured person, cleric VII 172.

tor, *sm.* trick VI 7.

torner; *p.p.* tornei X 24: *v.a.* turn,
apply X 24; *v.r. refl.* go away, go
off I 23, V 215, IX 12; *t. a enui* vex,
offend XV 148.

tornoi, *sm.* tournament, tourney XV
28, 50; *prandre un t.* arrange a
tourney XV 28, 41, 56, 69.

tornoiemant, *sm.* tournament, tourney XV 32, 94; *prandre un t.*
arrange a tourney XV 37, 40.

tost, *adv.* quickly, soon III 70, IV 82,
XI 156.

tot I 44, tout V 264, tuit II 22, (nom.
sing.m.) toz II 44, tous VII 48,
(f.) tote III 3, toute VII 35, (nom.
pl.m.) tuit I 48, *adj.pron.* all,
whole, every I 44, 48; *tot le
monde* the whole earth I 64;
(used adverbially) quite, entirely
I 67, III 104, IV 81, VII 35; *a tot*
XI 19, *a tout* V 264, *o tot* III 125,
prep. with XI 19; in spite of XIII
268.

toutejor, *adv.* all day V 56.

toutevoie, *adv.* continually, always
VI 38.

tozdis VI 247, touzdiz XII 42, *adv.*
always.

tozjors V 210, touzjors X 51, totjorz XV 109, tourjours VII 108,
adv. always.

trahir, traït, *v.a.* betray, play false III
108, XIV 316.

traïner, *v.a.* drag VIII 50; *v.n.* drag,
hang down IV 19.

traire X 31, trere VI 91; *p.p.f.* traite
X 72; *ind.pr.3* trait III 32, *6* traient
VI 198: *v.a.* pull, drag V 187; take,
take out XI 54; take off XI 156;
get, obtain X 31, 72; *gages trere*
redeem pledges VI 91; *v.n.* shoot
XIV 86*; *v.refl.* betake oneself
III 32.

traveillier XV 240, *v.a.* fatigue,
exhaust V 165, XV 126; torment,
punish XV 240.

trebuchier, *v.a.* knock down, throw
down IV 30.

trecié, *p.p.adj.*; *grenons treciez* mous-
taches carefully combed and
smoothed XIV 128.

tremeler, *v.n.* game, dice XIV
355.

tremerel, *sm.* dice-game XIV 173*.

tres, *adv.* very III 8, XI 216; *t. devant*
right in front of I 4.

trespasser XIV 39, *v.a.* cross, go
through VI 116; complete XIII
34; *v.n.* die XIV 39.

tressüer, *v.n.* sweat; (as a result of violent emotion) be inflamed V 214.

trestot XIV 79, *nom.* **tretouz** XII 63, *n.pl.* **trestuit** VI 98, *adj.pron.* all I 58, XIII 306; (used adverbially) wholly, completely V 277, IX 47, XV 103; *pron.neut.* (?) everything VI 85.

trichier XIV 247, *v.a.* cheat, get by cheating.

trichierres, *adj.* as *sm.nom.* XIV 383*.

troi, *nom.* of **trois,** *num.adj.* three V 62, X 68.

troie, *sm.* throw of three (at dice) XIV 312.

trop, *adv.* very V 33, VII 6; very much, a great deal XIII 2; *t. par,* v. par.

tropel, *sm.* crowd, company XV 49.

trousser VII 78, *v.a.* load.

trover XI 141, **trouver** VII 85; *ind. pr.1* **truis** V 210, *3* **trueve** VIII 43, *6* **truevent** XIV 56; *pret.3* **trova** VI 110: *v.a.* find; compose XV 249; (legal) find, declare to be true X 104.

ueil I 9, **oeil** I 56, **oill** I 17, **hueil** I 27, **weil** VII 168, *pl.* **elz** II 43, **iauz** XV 197, *sm.* eye; *sor les elz* as you value your eyes XIV 103*; *par les elz beu* by God's eyes XIV 199.

uevre, *sf.* affair, goings on, what is afoot VI 33, 63.

uis; v. **huis.**

um=un IV 1.

us, *sm.* custom XII 6.

usaige; *metre son u. en* indulge in XIV 37.

vaillant, *adj.* of great worth XV 175.

val XI 24, **vaul** XI 55, *sm.* valley.

vallet II 12, **vaslet** XIII 252, *sm.* servant, assistant II 12, XI 20; youth III 43.

valoir XIV 214; *pres.p.* **vaillant** VI 211; *ind.pr.3* **vaut** V 181; *fut.3* **vaura** XIV 320; *subj.pr.3* **vaille** VI 174: *v.n.* be worth VI 174; be of avail V 181; *vaillant dis mars* to the value (=the sum) of 10 marks VI 211.

vaul; v. **val.**

vegiles, *sf.pl.* prayers (on the eve of a festival) IX 19.

vein, *adj.* weak XIII 347.

vendre VII 79; *impve.2* **vent** VII 109: *v.a.* sell.

vendue, *sf.* sale X 28.

venir VI 27; *ind.pr.6* **veignent** XI 188; *pret.1* **vin** XV 216, **vi[n]g** IX 80, *6* **vindrent** V 223, **vinrent** I 26; *fut.2* **vendras** V 222, *3* **vendra** II 46; *subj.pr.3* **vieigne** XIII 168, **veigne** XV 100, **wiegne** VII 40, *5* **veigniez** XV 168; *impf.3* **venist** VI 46; *impve.5* **vegniez** VII 61, **veigniez** XV 158: *v.n.* and *refl.* (with *en*) come V 63, III 77, IV 43; *v.impers.* happen XII 12; *v.* **bien** come on, go along well III 34; *v. mieus* be better V 25; *v. au desus de* get the upper hand over I 78; *bien vegniez vous!* welcome! VII 61, *bien viegnoiz!* welcome! XIV 58.

veoir XI 75; *p.p.* **veü** V 84; *ind.pr.1* **voi** V 220, *5* **veez** XII 16; *impf.3* **veoit** II 29; *pret.1* **vi** V 28, *3* **vit** I 4; *fut.1* **verré** XIII 320, *3* **verra** V 270; *subj.pr.5* **veoiz** XV 31; *impf.3* **veïst** XI 222, *6* **veïssent** X 66; *impve.2* **vez** II 20, **voiz** V 206, *5* **voiés** V 201: *v.a.* see.

vergier, *sm.* garden VI 47.

vers, *prep.* towards IX 65; up against IX 47; with XII 90; *se tanser v.* defend oneself against III 17.

vesque, *sm.* bishop X 117, XIV 51.

veüe, *sf.* light, brightness XV 196*.

vez; v. **veoir.**

viande, *sf.* food VII 29.

viele, *sf.* hurdy-gurdy XIV 9.

viez, *adj.* old VII 79.

vif, *adj.* living, alive XIV 114; (with intensifying force) *au vif maufé* to the devil himself V 219; *enragier vive* go stark, staring mad IV 81.

vilain, vilein II 2, *sm.* non-noble, man of low degree IV 1, 33; peasant, labourer II 2, VIII 1; countryman, farmer III 39; (with pejorative sense) fellow I 19, XII 41; *adj.* evil, deadly XIV 53.

vilenie XIV 283, **vilennie** VII 2, *s.* baseness, impropriety VII 2; *dire v.* utter insults, slander XIV 283.

vint, *num.adj.* twenty X 35.

vis, *sm.* face I 8; *ce lor fu vis* as they thought V 95, cf. avis.

vistemant, *adv.* quickly V 185, XIII 296.

vitaille, *sf.* food III 94.

vivre X 1; *p.p.* **vescu** X 149; *pret.3* **vesqui** IV 83: *v.n.* live.

voie, *sf.* way, road III 90, IV 50; throw (at dice) XIV 187, 311; *sa metre a la v.* set out V 262.

voir, *adj.* true IV 75; *adv.* truly, indeed VII 22, 65; *de v.* III 50,

XIII 237, *por v.* V 42, *pour v.* VII 109 in truth, verily; *sm.* truth V 18; (apparent) truth V 13.

voire, *adv.* III 58, XIV 183; *sf.* truth IX 95, X 19.

voirement, *adv.* truly, indeed III 46, VIII 59.

voloir; *ind.pr.1* **vueil** II 48, **voil** XIII 326, **vuel** X 113, **veil** VII 2, **vueul** X 137, *2* **veus** V 138, **vels** XIV 133, **viaus** III 83, *3* **vuet** X 1, **veust** XIII 178, **vialt** XV 98, *5* **volez** V 1, **voulés** XIII 128; *impf.1* **voloie** V 23, *3* **voloit** V 64; *pret.3* **volt** XIII 269, **vout** V 126, **vot** XIII 27; *fut.5* **vodrez** XIII 370; *cond.1* **vorroe** XI 65, *3* **voudroit** V 38; *subj.pr.3* **vueille** V 244; *impf.3* **vousist** V 57, **vosist** XIV 32: *v.* wish, want, be willing; *voloir a*+inf. II 31; *inf.subst.* wish, will XIV 206.

vuidier, *v.a.* quit, leave XIV 402.

vuit, *adj.* empty IV 34.

weil; v. ueil.

wiegne; v. venir.

yglise; v. esglise.

INDEX OF PROPER NAMES

References are exhaustive, except where indicated by etc. An asterisk indicates an explanation or comment in the Notes.

146